Studienbücher Theologie

Gerhard Müller
Die Rechtfertigungslehre

Studienbücher Theologie

Kirchen- und Dogmen geschichte

Gütersloher Verlagshaus

Gerhard Müller

Die Recht fertigungslehre

Geschichte und Probleme

Gerd Mohn

CIP-Kurztitelaufnahme der Deutschen Bibliothek

Müller, Gerhard
Die Rechtfertigungslehre : Geschichte und Probleme. – 1. Aufl. – Gütersloh :
Gütersloher Verlagshaus Gerd Mohn, 1977.
  (Studienbücher Theologie: Kirchen- und Dogmengeschichte)
  ISBN 3-579-04460-5

Die kirchen- und dogmengeschichtliche Abteilung
der »Studienbücher Theologie« wird herausgegeben
von Professor Dr. Gerhard Müller, Erlangen
und Professor Dr. Gerhard Ruhbach, Bethel.

ISBN 3-579-04460-5
© Gütersloher Verlagshaus Gerd Mohn, Gütersloh 1977
Satz und Druck: F. L. Wagener, Lemgo
Einband: G. Lachenmaier, Reutlingen
Einbandgestaltung: Hansjürgen Meurer, Gütersloh
Printed in Germany

Inhalt

5   **Abwendung von der Rechtfertigungslehre –
der Übergang zur Moderne**

6   **Integration der Rechtfertigungslehre –
vom 19. zum 20. Jahrhundert**

Vorwort

Die Fragen, die mit der Rechtfertigungslehre verbunden sind, sind so zentral, daß faktisch kein wichtiges Gebiet der Theologie unberührt bleibt: Es geht um das Verständnis Gottes, um die Deutung von Person und Werk Jesu, um die Auffassung des Menschen wie um die Interpretation dessen, was mit Heil und Erlösung gemeint ist. Deswegen ist es kaum möglich, auf knappem Raum »Geschichte und Probleme« der Rechtfertigungslehre darzustellen. Wenn dies dennoch versucht wird, dann aus mehreren Gründen. Einmal ist das Verständnis von Rechtfertigung auch heute umstritten und die Erinnerung an das, was andere vor uns darüber dachten, zur Klärung der Positionen ratsam. Zum anderen vermag gerade die Besinnung auf die Geschichte dieser Lehre einen Einblick in die reiche theologische Arbeit der früheren Generationen zu gewähren. Damit vermag schließlich ein Zugang zur Geschichte der Kirche und damit zu dem, was »Kirche« ist, gewonnen zu werden.

Wenn dies in der Form eines »Studienbuches« geschieht, dann deshalb, weil sich auch diese zentrale Lehre der Aufmerksamkeit dessen empfiehlt, der auf knappem Raum eine Einführung in wichtige theologische Fragen wünscht. Dabei wird größtmögliche Klarheit angestrebt, aber es wird nicht der Versuch gemacht, in wenige – notgedrungen – oberflächliche Formeln die Ergebnisse zusammenzuraffen. Eifer – Studium – des Mitarbeitens ist unabdingbar. Zur Ergänzung der vorgelegten Skizzen werden »Lesevorschläge« gemacht. Ich habe darauf geachtet, möglichst solche Darstellungen zu nennen, die den meinigen zur Ergänzung oder auch zur Korrektur dienen können – dem Leser bleibt die Kritik, das eigene Urteilen überlassen. Bei den Literaturhinweisen wurden keine kommentierenden Bemerkungen hinzugefügt, um die Auswahl nicht faktisch einzuschränken. Wer bei einzelnen Abschnitten mehr Deutungen wünscht, tut gut daran, von der neueren Literatur auszugehen. Er wird dort oder auch in diesem Studienbuch Hinweise auf die wichtigsten Quellen finden, denen er dann ebenfalls seine Aufmerksamkeit zuwenden sollte.

Vielen habe ich zu danken, Kollegen, Mitarbeitern und nicht zuletzt jenen Studentinnen und Studenten, die in Seminaren und Übungen manche der behandelten Perioden oder Personen mit mir diskutiert haben. Gewidmet sei dieses Buch meiner Frau, der Gefährtin in guten und schweren Tagen.

Erlangen, 1. November 1976   *Gerhard Müller*

Einleitung: Bedeutung und Begriff

In den »Schmalkaldischen Artikeln« verweist Martin Luther auf Jesu Christi Amt und Werk und meint, daß wir nur durch den Glauben an den, der »um unserer Sünde willen gestorben und um unserer Gerechtigkeit willen auferstanden« ist (Röm 4,25), gerecht werden. Werke, Gesetze und Verdienste vermögen nicht zu helfen. Der Reformator zitiert Röm 3,28, wo es heißt: »Wir halten, daß der Mensch gerecht werde ohn Werk des Gesetzes durch den Glauben.«[1] Auffällig ist hier, daß Luther das sinngemäß verdeutlichende »allein« wegläßt – »ohne Werke des Gesetzes allein durch den Glauben« –, das er in seine Bibelübersetzung aufgenommen hat[2]. Er erklärt zugleich aber nachdrücklich, daß ihm an dieser Lehre alles liegt. Luther fährt nämlich fort: »Von diesem Artikel kann man nicht weichen oder nachgeben, es falle Himmel und Erden oder was nicht bleiben will; denn es ist kein anderer Name den Menschen gegeben, dadurch wir können selig werden.«[3] Es ist deswegen die Rechtfertigungslehre der »articulus stantis et cadentis ecclesiae« genannt worden[4]: Auf ihn kann keinesfalls verzichtet werden, wenn es um die Einheit der Kirche geht. Luther hat öfter betont, daß die Differenzen in der Christenheit seiner Tage nur überbrückt werden können, wenn Rom die Rechtfertigung des Sünders allein durch Gott anerkennt. Dies war die von ihm geforderte Bedingung[5]. Da eine Verständigung über diese Frage nicht erzielt, vielmehr im Konzil von Trient eine Abgrenzung gegen die

[1] Zit. nach: BS, S. 415.
[2] WAB 7,38–39; vgl. auch WA 30,2, 632f., 636f. und 640–643, wo Luther begründet, warum er so übersetzte.
[3] BS, S. 415f. und Apg 4,12.
[4] Zu dieser Formulierung vgl. *Friedrich Loofs:* Der articulus stantis et cadentis ecclesiae, Halle 1917.
[5] Vgl. *Gerhard Müller:* Martin Luther und das Papsttum, in: Das Papsttum in der Diskussion, hg. von Georg Denzler, Regensburg 1974, S. 91f.

Reformation vorgenommen wurde[6], gelang es nicht, die Einheit der abendländischen Kirche wiederherzustellen.

Selbstverständlich darf bei dieser Beurteilung nicht übersehen werden, daß mit der protestantischen Deutung der Rechtfertigung ein Verständnis der Kirche verbunden war, das neu und revolutionär war. Vor Luther war man gewohnt, die Glaubensentscheidungen der Kirche als irrtumslos[7] und die Kirche selber als fehlerfrei anzusehen. Wenn jetzt die Verkündigung der Rechtfertigung als das hingestellt wird, was die Kirche zur Kirche macht, wenn Entscheidungen von Konzilen und Päpsten als falsch und die Kirche selber als der Rechtfertigung bedürftig angesehen wird[8], dann treten dadurch Spannungen auf, die man im 16. Jahrhundert nicht auszuhalten vermochte. Insofern kann auch gesagt werden, daß die Einheit der Kirche in der Reformationszeit an dem Verständnis von »Kirche« zerbrochen sei[9]. Es wird hierbei aber zu bedenken sein, daß die Kritik an der Kirche erwachsen war aus dem neuen Verständnis der Rechtfertigung, daß es also keine glatte Selbsttäuschung war, wenn Luther meinte, diesen »Artikel« nicht aufgeben zu können, weil damit das verbunden sei, was die Kirche zur Kirche mache. Durch seine Stellungnahme erhielt diese Lehre ein großes Gewicht. Sie erwies sich als Anlaß für eine folgenschwere Entwicklung, so daß *ihre Bedeutung für die Geschichte der neueren Christenheit im Abendland und für alle Kirchen, die mit ihr zusammenhängen, als erheblich angesehen werden muß.* Wir werden dieses Geschehen aber nur recht verstehen können, wenn wir uns die wichtigsten Probleme der Rechtfertigungslehre von ihren Anfängen im Neuen Testament an vergegenwärtigen. Es wird auch ratsam sein, die geschichtliche Entwicklung im Auge zu behalten, wenn wir die gegenwärtige kontroverstheologische Beurteilung der Rechtfertigung bedenken[10].

Was aber heißt das überhaupt: Rechtfertigung? Das Wort kommt aus der mittelalterlichen Rechtssprache und meint einen juristischen Prozeß, ein Rechtsverfahren. Ein solches endet mit

[6] Vgl. dazu unten Abschnitt 4.3.

[7] Umstritten war lediglich, ob die Konzile oder die Päpste die oberste Urteilsinstanz über Glaubensfragen besäßen, vgl. *Hubert Jedin:* Geschichte des Konzils von Trient, Bd. 1, 2. Aufl., Freiburg/Breisgau 1951, S. 1ff.

[8] *Gerhard Müller:* Ekklesiologie und Kirchenkritik beim jungen Luther, in: NZSTh 7, 1965, S. 100–128.

[9] *Hubert Jedin:* An welchen Gegensätzen sind die vortridentinischen Religionsgespräche zwischen Katholiken und Protestanten gescheitert?, in: *ders.:* Kirche des Glaubens. Kirche der Geschichte. Ausgewählte Aufsätze und Vorträge, Bd. I, Freiburg/Breisgau 1966, S. 361–366.

[10] Vgl. dazu den Schlußabschnitt.

einem Urteil. Deswegen ist es folgerichtig, daß »Rechtfertigung« auch Verurteilung, ja sogar Hinrichtung heißen kann. Noch zur Zeit Luthers ist dieser Wortgebrauch gang und gäbe. Ein Urteil kann aber auch in einem Freispruch bestehen, so daß Rechtfertigung zugleich Lossprechung bedeuten kann[11]. In diesem Sinne hat der Reformator es in seiner Theologie verwendet: *Gott rechtfertigt den Sünder, indem er ihn freispricht von seiner Schuld.* Wo eigentlich eine Verurteilung zum Tod angemessen wäre, da wird aus Gnade ein Freispruch gefällt. Das göttliche Urteil, die Rechtfertigung, ist möglich, weil Jesus Christus an die Stelle des Sünders tritt. Nur durch ihn, durch seinen »Namen« werden Menschen von Gott als gerecht angesehen.

Es geht in der Rechtfertigung also um ein göttliches Urteil, um ein Rechtsverfahren, das er durchführt. Wie Gott und Mensch sich hier gegenüberstehen, welche Positionen sie einnehmen, welche Voraussetzungen sie mitbringen, das ist im Verlauf der Jahrhunderte sehr unterschiedlich beantwortet worden[12]. Nur die wichtigsten Positionen können hier skizziert werden.

11 *Jacob und Wilhelm Grimm:* Deutsches Wörterbuch, 8. Bd., Leipzig 1893, Sp. 415f.; vgl. dazu auch *Werner Elert:* Deutschrechtliche Züge in Luthers Rechtfertigungslehre, in: Ein Lehrer der Kirche. Kirchlich-theologische Aufsätze und Vorträge von Werner Elert, hg. von Max Keller-Hüschemenger, Berlin und Hamburg 1967, S. 23–31.
12 Rechtfertigung muß nicht immer in juridischen Kategorien erfaßt werden. Sie kann auch kultisch begründet werden wie im Hebräerbrief. Zumeist aber stand das Juridische im Mittelpunkt der Erwägungen.

1 Grundlegung der Rechtfertigungslehre – Neues Testament und Alte Kirche

Um das *Verhältnis von Gott und Mensch* geht es im Neuen Testament. Für das Judentum war dies definiert durch *das göttliche Gesetz:* Das rechte, heile Verhältnis zwischen Gott und Mensch ist dort erreicht, wo das Gesetz beachtet wird. Die Gebote Gottes sind Hinweise auf das Heil; wer sie einhält, wer das Gesetz nicht übertritt, für den erweist es sich als Heilsweg.

Dadurch wird dem Menschen eine große Verantwortung auferlegt: Von ihm hängt es ab, ob er das Heil erlangt. Aber auch die Möglichkeiten, die sich ihm bieten, sind groß: Er kann seine Freiheit wahrnehmen, um das große Ziel des Heiles bei und mit Gott zu erreichen.

Im Neuen Testament tritt nun an die Stelle des Gesetzes als Heilsweg das Neben- und Miteinander von Gesetz und Gnade. Gottes Gesetz wird von Jesus als das »befreiende Recht« verkündigt[1]. Paulus stellt fest, »daß kein Mensch aus Gesetzeswerken gerechtfertigt wird«, weil »alle gesündigt haben«[2] (vgl. Röm 3,21–30). Das Gesetz als Heilsweg ist an sein Ende gekommen: Christus ist »des Gesetzes Ende« (Röm 10,4). Und dies deswegen, weil die Vergehen der Menschen eine Annahme durch Gott ausschließen. »Durchweg ist es die faktische Sünde, die eine Gerechtigkeit aus Werken des Gesetzes unmöglich macht«[3], wobei »die eigentliche Sünde« darin besteht, »sich vor Gott ... rühmen« zu wollen[4].

Das Gesetz erweist sich als ein »Zuchtmeister auf Christus« (Gal 3,24), denn es offenbart die Sünde und damit den Abstand

---

[1] *Peter Stuhlmacher:* Gerechtigkeit Gottes bei Paulus, 2. Aufl., Göttingen 1966, S. 238–244.

[2] *Ulrich Wilckens:* Was heißt bei Paulus: »Aus den Werken des Gesetzes wird kein Mensch gerecht«?, in: Rechtfertigung im neuzeitlichen Lebenszusammenhang. Studien zur Neuinterpretation der Rechtfertigungslehre, hg. von Wenzel Lohff und Christian Walther, Gütersloh 1974, S. 81.

[3] *Wilckens,* S. 103.

[4] *Rudolf Bultmann,* zit. bei *Wilckens,* S. 103.

des Menschen von Gott und treibt hin zur Gnade, die in dem Gottessohn zum Ausdruck gekommen ist. Durch seinen Tod ist der Sünder von allem befreit, was ihn von Gott trennte. Wer dies im Glauben annimmt, der ist gerecht. An die Stelle der Werke tritt der Glaube, an die Stelle des Gesetzes Jesus Christus.

Paulus verbindet dabei »Rechtfertigung und Taufe«. Der Täufling wird zu einem neuen Geschöpf durch das über ihm ausgesprochene Wort Gottes. Er wird hier an Sohnes Statt angenommen, er wird »realiter Gottes neues Geschöpf«[5]. Die Rechtfertigung besteht also nicht in einem Tun des Menschen, sondern in Gottes Handeln, dessen »schöpferischer, erlösender Machteingriff« etwas bewirkt, was das Gesetz laut Gal 3,21 nicht vermochte: Das Gesetz vermag nicht lebendig zu machen. Aber Gott ist in seinem Schöpferhandeln dazu fähig. Indem der Getaufte dies anerkennt, Gott als seinen Richter und Schöpfer glaubt und bekennt, kommt die Rechtfertigung zu ihrem Ziel: *Gott hat mich, »den Gottlosen kraft seines Tote erweckenden Schöpferwortes« gerechtfertigt*[6]. Damit ist »die Wende der Äonen«, die »die Juden am Ende der Tage erwarten«, schon jetzt eingetreten: »Die Gottesgerechtigkeit ist Wirklichkeit geworden.«[7]

Der Begriff δικαιοσύνη θεοῦ spielt vor allem bei Paulus eine große Rolle: Röm 1,17, 3,21f. und 10,3 sind hier als besonders wichtige Stellen zu nennen. Früher wurde gefragt, ob bzw. wo es sich hier um einen genetivus subjectivus handle, also um eine göttliche Eigenschaft, die er selbst besitzt und die den Menschen gegenüber in seiner »Unparteilichkeit« zum Ausdruck kommt. Man versuchte zu klären, wo ein genetivus objectivus, also eine auf Gott zurückgehende Gerechtigkeit, oder ein genetivus auctoris, eine von ihm geschaffene Gerechtigkeit, gemeint sei. In der modernen Diskussion wird diese Art der Differenzierung als dem von Paulus gemeinten Sachverhalt nicht angemessen angesehen. Statt dessen wird der Zusammenhang von Gerechtigkeit und Schöpfung betont. Wo von Gottes Gerechtigkeit gesprochen wird, könne dies nie eine nur ihm eignende Eigenschaft sein, sondern es komme darin stets sein *Handeln* zum Ausdruck, und zwar ein Handeln, das sich nicht auf den einzelnen Menschen

---

5 *Stuhlmacher,* S. 221; vgl. auch *Eduard Lohse:* Die Einheit des Neuen Testaments. Exegetische Studien zur Theologie des Neuen Testaments, Göttingen 1973, S. 228–244.
6 *Stuhlmacher,* S. 222 und 227.
7 *Otto Merk:* Handeln aus Glauben. Die Motivierungen der paulinischen Ethik (Marburger Theologische Studien, Bd. 5), Marburg 1968, S. 6.

beschränkt, sondern das die »Treue des Schöpfers« zur gesamten Kreatur zum Ausdruck bringt. Die Gerechtigkeit Gottes wird als »ein ausschließlich heilschaffendes Ereignis«[8] bezeichnet. Gott »erweist« seine Gerechtigkeit (Röm 3,25), indem er den Menschen, der das Heil nicht mit Hilfe des Gesetzes erlangen konnte, freispricht von seiner Schuld und ihn zu einer »neuen Kreatur« macht (2 Kor 5,17). Es ist konsequent, daß der so Beschenkte und Erneuerte nicht in dem verbleibt, was war.

Der Glaubende erkennt nämlich in Gottes Gesetz den Willen, den er zu erfüllen hat und auch zu erfüllen vermag, weil er nicht mehr nach dem »Fleisch«, sondern nach dem »Geist« lebt. *Die Erfüllung dieses Gesetzes aber ist die Liebe*, die damit zur Antwort des aus Gnade Angenommenen auf Gottes Handeln wird. Gesetz und Gnade schließen einander im Vorgang der Rechtfertigung aus, weil einerseits der Mensch nur Negatives vorzuweisen hat, das lediglich verurteilt werden kann, und weil andererseits Gottes Schöpferhandeln so mächtig ist, daß jedes Mitwirkenwollen des Geschöpfes vermessen wäre. Es brächte dies nur wieder den Stolz des Menschen zum Ausdruck, der sich nicht rein aus Gnade angenommen glauben will, der auf Selbstverwirklichung beharrt und damit in der Sünde bleibt. Aber wo Gottes rechtfertigendes, vergebendes Handeln anerkannt wird, da wird auch sein guter Wille beachtet, wird das Gesetz getan. Es kann deswegen weiterhin von einem »Gericht nach den Werken« gesprochen werden (2 Kor 5,10). Dies hebt das Ja Gottes zum Gerechtfertigten nicht auf. Gott ist der, der *alles* wirkt – darum haben die Christen *alles* zu tun (Phil 2,12b.13). Sie sind hineingenommen in »den Machtkampf Gottes des Schöpfers mit den Mächten dieser Welt«[9]. In der Taufe wird ihnen Gottes Gnade zugesagt. Diese Gnade findet ihre letzte Bewährung und Bestätigung im Endgericht.

Diese theologischen Aussagen von dem Ende des Gesetzes als Heilsweg, von der Gnade als der Dimension göttlichen Handelns in Jesus Christus, vom Glauben als der allein rechten Weise menschlichen Lebens und vom Gesetz als dem gültigen Willen Gottes sind über die Urgemeinde hinaus kaum verstanden worden. Man begreift »in unmittelbar nachneutestamentlicher Zeit

8 *Stuhlmacher*, S. 77 und 98. Auf die »alttestamentliche Vorgeschichte« dieses Verständnisses der göttlichen Gerechtigkeit wird jetzt öfter aufmerksam gemacht, vgl. z. B. *Hans Heinrich Schmid*: Rechtfertigung als Schöpfungsgeschehen. Notizen zur alttestamentlichen Vorgeschichte eines neutestamentlichen Themas, in: Rechtfertigung. Festschrift für Ernst Käsemann zum 70. Geburtstag, Tübingen und Göttingen 1976, S. 403–414.

9 *Stuhlmacher*, S. 231.

... nicht mehr die eschatologische Spannung von Gegenwart und Zukunft«, sondern meint, unmittelbar vor dem Gericht zu stehen, was den Blick wieder »auf die eigenen Werke« lenkt[10]. Die klare Trennung des Apostels Paulus von Rechtfertigung sola gratia und Leben des Christen tritt zurück oder verschwindet ganz. Aus der Rechtfertigung »aus Glauben, nicht durch Werke« wird »eine Rechtfertigung durch Glaubenswerke«[11]: Die Taten des Christen werden wieder auf die Annahme durch Gott bezogen. Dazu trägt die moralisierende Tendenz im frühen Christentum bei, durch die die Getauften vor dem falschen, breiten Weg gewarnt und auf den schmalen, richtigen Weg gewiesen werden.

Allerdings verschwinden die neutestamentlichen Worte nicht ganz. Sie erweisen sich vielmehr immer wieder als der Interpretation bedürftig, werden wiederholt, aber zumeist ihres genuinen Aussagegehaltes beraubt. Immerhin heißt es jedoch im 1. Clemensbrief vom Ende des 1. Jahrhunderts: »Wir, die wir durch seinen (Gottes) Willen in Christo Jesu berufen sind, werden nicht durch uns selbst gerechtfertigt noch durch unsere Weisheit oder Einsicht oder Frömmigkeit oder durch unsere mit frommem Herzen getanen Werke, sondern durch den Glauben, durch den der allmächtige Gott alle, soviel ihrer von Anfang an sind, gerechtfertigt hat« (32,4). Und Polykarp schreibt in seinem Brief an die Philipper um 135: »Unablässig wollen wir festhalten an unserer Hoffnung und an dem Unterpfand unserer Gerechtigkeit, nämlich an Jesus Christus, der unsere Sünden an seinem eigenen Leibe ans Kreuz getragen, der keine Sünde getan hat und in dessen Mund kein Betrug gefunden worden ist; sondern wegen uns hat er alles erduldet, damit wir in ihm das Leben haben« (8,1). Man darf solche paulinisch klingenden Formulierungen aber nicht isoliert betrachten, muß vielmehr fragen, was mit Rechtfertigung und Glaube insgesamt gemeint ist. Dabei wird deutlich, daß zumeist zwar erklärt wird, daß *der Glaube rechtfertigt, daß zu seiner Bestätigung aber Werke der Liebe für erforderlich gehalten* werden. Und Glaube ist nicht Vertrauen und Hingabe, sondern Gehorsam und Fürwahrhalten[12]. Damit ist das neutestamentliche sola gratia der Rechtfertigung aufgehoben. An die Stelle des Zutrauens zu Gott tritt wieder die Beachtung der

---

10 *Stuhlmacher*, S. 12.
11 *Wilfried Joest*: Rechtfertigung, dogmengeschichtlich, in: RGG 5,829.
12 *Adolf Harnack*: Geschichte der Lehre von der Seligkeit allein durch den Glauben in der alten Kirche, in: ZThK 1, 1891, S. 86–104.

menschlichen Werke als notwendiger Ergänzungen zum Recht-fertigungsgeschehen[13].

Das gilt auch von den größten Theologen der Alten Kirche vor Augustin, von Tertullian und Origenes. Für den Eiferer Tertul-lian ist zwar unbestritten, daß der Glaubende, der getauft wird, selig wird. Aber im gleichen Atemzug gehören die strengsten Werke der Zucht hinzu, durch die man sich von der Welt distan-ziert. Die iustitia Dei ist »Gottes richterliche Gerechtigkeit«[14] – nichts anderes. Tertullians großkirchlicher Gegner Kallist wies dagegen der Gnade eine umfassendere Bedeutung zu: Gottes Güte ist so groß, daß sie durch Buße immer wieder von neuem erlangt werden kann. Deswegen muß die alte Zuchtordnung nicht aufrechterhalten werden, der zufolge der Getaufte rein von Sünden ist und bleibt. Aber auch hier wird die neutestament-liche Spannung von Gesetz und Gnade nicht erreicht. Man kann sogar den Verdacht äußern, daß Kallist nur deswegen die Milde Gottes betont, weil in den größer gewordenen Gemeinden die rigorosen ethischen Vorschriften anstößig und hinderlich gewor-den sind[15].

Auch Origenes stieß nicht zu einer Erfassung der paulinischen Texte vor – trotz seiner Bemühungen um das Verständnis der biblischen Aussagen. Ihm als einem Genie der Synthese lag ohne-hin die Verbindung der Traditionen näher als die einseitige Herausarbeitung theologischer Aussagen, die von anderen Vor-aussetzungen aus gemacht worden waren. In seiner Exegese überwiegt die Deutung der Gerechtigkeit Gottes im Sinne der geforderten iustitia: es handelt sich hier um die gött-liche Eigenschaft der aequitas[16]. Aber es läßt sich nicht übersehen, daß auch die alte »schillernde Doppelbedeutung« von Gerechtig-keit Gottes vorkommt[17], der zufolge hier auch an die vergebende, zusprechende Gnade und Güte des Allherrschers gedacht werden kann[18].

Dieses Material ließe sich unschwer vermehren. Griechische und lateinische Väter kommen immer wieder auf die Rechtfertigung

[13] Vgl. *Rudolf Bultmann:* Theologie des Neuen Testaments, 7. Aufl., Tübin-gen 1977, §§ 58–61, S. 507ff.

[14] *Stuhlmacher,* S. 14.

[15] *Harnack,* S. 108–123.

[16] Vgl. *Karl Hermann Schelkle:* Paulus. Lehrer der Väter. Die altkirchliche Auslegung von Römer 1–11, Düsseldorf 1956, S. 41 und 108.

[17] *Stuhlmacher,* S. 13 (nach Hans Lietzmann).

[18] Überhaupt liegt das Heilsinteresse in den östlichen Kirchen an anderer Stelle als in den abendländischen: Es geht nicht so sehr um Schuld, Sünde und Strafe als um Vergottung, Heil und Erlösung. Deswegen konnte die Frage nach der »Gerechtigkeit Gottes« dort nicht so zentral werden.

zu sprechen. Aber Cyprian oder Hieronymus, Ambrosiaster oder Ambrosius bringen keine weiterführenden Argumente. Es entwickelt sich bis hin zum 5. Jahrhundert kein dogmatischer Streit über das rechte Verständnis der Gerechtigkeit Gottes. Stets ist die Gnade Gottes der Ausgangspunkt: *In Jesus Christus hat sich die Güte des Schöpfers offenbart. Diese wird im Glauben ergriffen.* Dann aber erhält die Verantwortung des Christen ihren Platz: *Diese Gnade gilt es durch Werke zu bewahren, so daß an die Stelle des »allein« durch die Gnade das »und« durch die Werke tritt.*

Dabei dürfte entscheidend gewesen sein, daß nicht mehr begriffen wurde, was mit »Gesetz« im Neuen Testament und besonders bei Paulus gemeint war. Origenes versteht Röm 3,19ff. und 7,1ff. »unter Gesetz das Naturgesetz«[19]. Wo deutlich vom mosaischen Gesetz gesprochen wird, bezieht er dies lediglich auf die alttestamentlichen Zeremonialgebote. Diese vermögen nicht zu rechtfertigen, weil sie »äußerlich« sind. Andere Theologen der Alten Kirche haben diese Auslegung übernommen. Sie beseitigte die Schwierigkeit, vom Gesetz Gottes sagen zu müssen, daß es als Weg zum Heil nicht in Frage komme. Aber die Beschränkung auf das Zeremonialgesetz hob die grundsätzliche Gesetzeskritik auf, durch die Paulus das Werk Jesu Christi erst in seine rechte Dimension eingeordnet hatte. Zwar versuchte man, die Notwendigkeit der Gnade trotzdem aufrechtzuerhalten. So erklärte man das Gesetz in Röm 2,9f. und 14 in der Alten Kirche später nicht mehr mit dem Naturgesetz, durch das Heiden gerecht und selig werden können, wie Paulus das behauptet hatte, weil dann ja Menschen ohne die Gnade Christi von Gott angenommen werden können[20]! Aber man nivellierte nur, wenn man einerseits zwar meinte, ohne die Gnade gebe es kein Heil, während man andererseits aber dem Gesetz auch noch einen Einfluß auf das Geschehen der Rechtfertigung zuerkannte. Es bedurfte deswegen neuer Anstöße, um die Frage nach dem Verhältnis von Gott und Mensch neu zu beantworten. Die neuen Lösungen wurden – unabhängig voneinander! – am Anfang des 5. Jahrhunderts entwickelt. Jetzt wurde versucht, dem unklaren Miteinander von Gnade und Gesetz ein Ende zu bereiten, indem entweder bei dem Menschen und seinen Fähigkeiten eingesetzt wurde – so die Pelagianer – oder bei Gott und seinem Tun – so Augustin.

---

[19] *Schelkle,* S. 104, 114 und 232.
[20] Vgl. *Schelkle,* S. 81–83.

Lesevorschlag

Ulrich Wilckens: Was heißt bei Paulus: »Aus den Werken des Gesetzes wird kein Mensch gerecht«?, in: Rechtfertigung im neuzeitlichen Lebenszusammenhang. Studien zur Neuinterpretation der Rechtfertigungslehre, hg. von Wenzel Lohff und Christian Walther, Gütersloh 1974, S. 77–106.

Literaturhinweise

Rudolf Bultmann: ΔΙΚΑΙΟΣΥΝΗ ΘΕΟΥ in: ders.: Exegetica. Aufsätze zur Erforschung des Neuen Testaments, Tübingen 1967, S. 470–475. – *Ders.:* Theologie des Neuen Testaments, 7. Aufl., Tübingen 1977. – *Hans Conzelmann:* Die Rechtfertigungslehre des Paulus: Theologie oder Anthropologie?, in: ders.: Theologie als Schriftauslegung. Aufsätze zum Neuen Testament (Beiträge zur evangelischen Theologie, Bd. 65), München 1974, S. 191–206. – *Karl Paul Donfried:* Justification and Last Judgment in Paul, in: Interpretation 30, 1976, S. 140–152; dieser Aufsatz desselben Verfassers wurde mit demselben Titel erweitert gedruckt in: Zeitschrift für die neutestamentliche Wissenschaft und die Kunde der älteren Kirche 67, 1976, S. 90–110. – *Ferdinand Hahn:* Das Gesetzesverständnis im Römer- und Galaterbrief, in: ebd. S. 29–63. – *Adolf Harnack:* Geschichte der Lehre von der Seligkeit allein durch den Glauben in der alten Kirche, in: ZThK 1, 1891, S. 82–178. – *Ernst Käsemann:* Gottesgerechtigkeit bei Paulus, in: ders.: Exegetische Versuche und Besinnungen, Bd. 2, Göttingen 1964, S. 181–193. – *Karl Kertelge:* »Rechtfertigung« bei Paulus. Studien zur Struktur und zum Bedeutungsgehalt des paulinischen Rechtfertigungsbegriffs (Neutestamentliche Abhandlungen, N. F. Bd. 3), 2. Aufl., Münster/Westf. 1971. – *Eduard Lohse:* Die Gerechtigkeit Gottes in der paulinischen Theologie, in: ders.: Die Einheit des Neuen Testaments. Exegetische Studien zur Theologie des Neuen Testaments, Göttingen 1973, S. 209–227. – *Dieter Lührmann:* Rechtfertigung und Versöhnung. Zur Geschichte der paulinischen Tradition, in: ZThK 67, 1970, S. 437–452. – *Otto Merk:* Handeln aus Glauben. Die Motivierungen der paulinischen Ethik (Marburger Theologische Studien, Bd. 5), Marburg 1968, S. 5–28. – Rechtfertigung. Festschrift für Ernst Käsemann zum 70. Geburtstag, Tübingen/Göttingen 1976. – *Karl Hermann Schelkle:* Paulus, Lehrer der Väter. Die altkirchliche Auslegung von Römer 1 bis 11, Düsseldorf 1956. – *Peter Stuhlmacher:* Gerechtigkeit Gottes bei Paulus (Forschungen zur Religion und Literatur des Alten und Neuen Testamentes, 87. H.), 2. Aufl., Göttingen 1966, S. 11–16 und 217–236. – *Ulrich Wilckens:* Rechtfertigung als Freiheit. Paulusstudien, Neukirchen-Vluyn 1974. – *Ders.:* Christologie und Anthropologie im Zusammenhang der paulinischen Rechtfertigungslehre, in: Zeitschrift für die neutestamentliche Wissenschaft 67, 1976, S. 64–82.

2 Streit um die Rechtfertigungslehre –
5. und 6. Jahrhundert

2.1 Der Pelagianismus – Vernunft und freier Wille

Am Anfang des 5. Jahrhunderts wirkte in Rom der Brite
Pelagius, der asketisch lebte und sich an der Lebensweise vieler
Christen in der Weltstadt stieß. Er forderte in seinen Predigten
dazu auf, nicht träge zu sein, sich nicht mit der Schwachheit des
Fleisches oder der Schwere der göttlichen Gebote zu entschuldi-
gen, sondern sich dem Guten zuzuwenden und es mit aller Kraft
zu tun. Pelagius wollte die Menschen ermuntern, ihnen zureden,
damit sie ihre Fähigkeiten nicht unterschätzten.
Diese *Bußpredigt* erregte Aufmerksamkeit: viele fühlten sich getroffen. Es waren ja auch keine Neuerungen, die hier vorgetragen
wurden, sondern es wurde lediglich stärker als früher das
mönchisch-asketische Leben als vorbildlich für alle Christen hingestellt. Rasch fand der Prediger Anhänger. Sein Schüler Caelestius und Julian, Bischof von Aeclanum, wurden neben ihm die
profiliertesten Vertreter einer Lehre, in der *den Fähigkeiten des
Menschen ein breiter Raum eingeräumt* wurde[1].
Man ging dabei von der *Vernunft des Menschen als dem entscheidenden Maßstab für die Lehre* aus. Auf die Überordnung
einer anderen Autorität – mochte sie auch den Anspruch auf
göttliche Offenbarung erheben – ließ man sich nicht ein. »Nicht
ist etwas gut, weil Gott es will und es in der Schrift steht, sondern
was gut ist, stellt die ratio fest.«[2] Die Pelagianer fürchten sich
auch nicht, Minorität zu sein, denn die Wahrheit wird nicht
»gezählt«, sondern »gewogen«. Die »Menge der Blinden nützt
nichts, wenn etwas gefunden werden soll.« Hier wird deutlich,
wo man steht: Pelagius und seine Freunde gehen auf die antike

---

[1] Auf eine Differenzierung ihrer Positionen muß und kann hier verzichtet
werden. Auch auf Streitfragen, die hier nicht von Belang sind – ob z. B. Pelagius Ire statt Brite war –, gehe ich nicht ein.
[2] Vgl. *Harnack*, DG 3, S. 188f. Anm. 2.

philosophische Tradition zurück. Die moralistisch-nationalistische Popularphilosophie ist das unmittelbare Vorbild[3]. Aristoteles und Cicero zählen nach ihrer Meinung zu den Lehrern der christlichen Theologie. Nur Gebildete dürfen mitreden. Diese stehen – so behaupten die Pelagianer – auf ihrer Seite. Wir haben hier also *ein Christentum* vor uns, *das aufklärerische Züge aufweist*[4].

Die ratio lehrt nach pelagianischer Auffassung, daß *Gott gerecht* ist. Es gibt noch andere Eigenschaften Gottes, aber diese ist die entscheidende. Deswegen kann gesagt werden: »Nichts kann durch die heiligen Schriften gebilligt werden, was nicht durch die Gerechtigkeit bestätigt werden könnte.« Wo etwas in der Bibel der Gerechtigkeit zu widersprechen scheint, da muß dies korrigiert bzw. so ausgelegt werden, daß diesem obersten Prinzip Genüge getan ist. Was aber ist »*Gerechtigkeit*«? Sie ist *die Vergeltung, die einem jeden zuweist, was ihm gebührt.* Benachteiligungen oder Bevorzugungen würden die Gerechtigkeit zerstören und sind deswegen auszuschließen.

Mit der Gerechtigkeit Gottes wird nun seine Güte in eins gedacht. Gott ist gut, und alles, was er schafft, ist gut. Deswegen ist auch die Natur gut, die auf den Schöpfer zurückgeht. Vor allem ist *die Natur bleibend gut* – sie kann nicht als durch Sünde verderbt gedacht werden. Auf den Menschen angewendet heißt dies: auch er ist gut; er besitzt einen freien Willen, der sich dem Guten zuneigen und vom Bösen abwenden kann. Ein Wille, der durch irgend etwas oder irgend jemand gezwungen werden könnte, wäre weder frei noch gut. Wer die Natur als böse oder den menschlichen Willen als unfrei bezeichnet, greift die Gerechtigkeit und Güte Gottes an, der jedem Menschen freie Entfaltungsmöglichkeiten zubilligt[5]. Der freie Wille ist die große Gabe Gottes, die den Menschen auszeichnet. Julian konnte den stolzen Satz formulieren: »*Durch den freien Willen wurde der Mensch von Gott als selbständig erklärt.*«[6] Die Pelagianer werden nicht müde, die Würde des Menschen zu preisen, die sich in seiner Freiheit – im Unterschied zur unvernünftigen Kreatur – erweist. Der Mensch kann das Gute tun – aber er muß es nicht. Wäre er dazu gezwungen, wäre er ja wieder unfrei! Aber er hat die Möglichkeit, das Gute zu wollen und zu tun.

3 *Loofs*, DG, S. 339.
4 Harnack nennt Julian den »entschlossensten Aufklärer, den die alte Kirche erlebt hat« (DG 3, S. 190 Anm.).
5 Wie wichtig die Fragen nach Natur und freiem Willen waren, geht auch daraus hervor, daß Pelagius über beide Themen Schriften verfaßt hat.
6 »Homo libero arbitrio emancipatus a deo«, vgl. *Harnack*, DG 3, S. 198.

Allerdings besteht auch die *Freiheit zum Bösen.* Woher kommt sie? Keinesfalls aus der Natur, denn sonst wäre Gott der Urheber des Bösen, weil er die Natur geschaffen hat. Die Sünde geht vielmehr auf den freien Willen des Menschen zurück, der sich für sie entscheidet. Dabei wird besonders die *Gewöhnung zum Sündigen* betont, in die die Menschen durch ihre Umwelt geraten: Schlechte Vorbilder verderben den von Natur guten Menschen, so daß Sünde geradezu als durch Nachahmung entstehend bezeichnet werden kann. Aber auch die *Sinnlichkeit* wird von den Pelagianern als eine Ursache angesehen: Die Begierde – libido oder concupiscentia – verleitet zum Bösen. Ihr Sitz ist der Leib. Da der Körper der Seele untergeordnet ist, kann sich der Mensch – wenn er will – zum Guten wenden[7]. Daraus folgt, daß der Mensch sündlos zu leben vermag. Wer dies nicht tut, wird von Gott im Gericht verurteilt werden. Dies fordert seine Gerechtigkeit. Sie veranlaßt auch, daß die Guten im Gericht belohnt werden.

Damit ist das Böse aber eher beschrieben als erklärt. Da es nur in einzelnen Taten besteht und der guten Natur grundsätzlich widerspricht, ist sein Vorhandensein ein Ärgernis für die pelagianischen Theologen, das auch nicht dadurch gemildert wird, daß man auf schlechte Vorbilder oder die Begierde verweist. Denn beides ist aufgrund der vorliegenden Voraussetzungen ebenfalls unerklärlich. Hier spielen offenbar mönchisch-asketische Anschauungen eine Rolle, die auf gnostische oder andere dualistische Systeme zurückgehen. Aber es mag auch die kirchliche Tradition mitverursacht haben, daß die Pelagianer ihre Meinung von dem guten Gott, der trotz der vorhandenen Sünde nur Gutes bewirkt, nicht konsequent durchzuhalten vermochten. Denn nach kirchlicher Überlieferung besteht ein Unterschied zwischen Adam und denen, die nach dem Sündenfall (Gen 3) geboren wurden. Nach Meinung der Pelagianer besaß auch Adam den freien Willen. Durch ihn sündigte er – aber dadurch wurde seine Natur nicht böse. Der Tod ist auch nicht der Sünde Sold (Röm 6,23), denn er ist etwas Natürliches, kann also nicht Folge der Sünde sein. Die Pelagianer wenden deswegen die hier einschlägigen biblischen Wendungen ins Spiritualistische, wenn sie sagen, daß nur der geistige Tod, nämlich die Verdammnis der Seele, die Folge von Adams Sündenfall gewesen sei. Auch die

7 Julian – konsequenter als Pelagius und Caelestius – verstand allerdings auch die Konkupiszenz als zur Natur gehörig und damit nicht grundsätzlich als böse. Wer etwas mäßig gebraucht, gebraucht es gut – das gilt auch für die Begierde, was Augustin veranlaßte, Julian einen »laudator concupiscentiae« zu nennen (contra Julianum III, 44).

Entdeckung der Scham hat nichts mit dieser Tat zu tun. Vielmehr verhüllen sich jetzt Adam und Eva, weil sie frieren und weil sie jetzt erst lernen, sich zu bekleiden.

Hätte man sich an die biblische Überlieferung gehalten, dann hätte man sagen müssen, daß durch Adams Sündenfall der geistliche Tod vererbt wurde. Aber auch dies wird vehement abgelehnt. Denn dann wäre die persönliche Verantwortung jedes einzelnen Menschen nicht mehr gewahrt! *Nur der stirbt den geistlichen Tod, der selber sündigt!* Von einer Weitergabe der Sünde von Geschlecht zu Geschlecht auf einem Weg, der die Eigenverantwortung des Menschen ausschließt – also etwa durch natürliche Vorgänge wie den der Zeugung – kann keine Rede sein. *Eine Erbsünde gibt es nicht.* Die Pelagianer erklären die Christen, die diese lehren, zu Manichäern, die zwei Prinzipien – gut und böse – anerkennen, während sie als die wahren Christen alles auf eine Wirkursache, nämlich auf den gerechten und guten Gott zurückführen.

Das heißt aber: Einen Sündenfall, durch den das Böse wie ein Geschick über alle Menschen kam, gibt es nicht. Zwischen Adam und den jetzt geborenen Kindern gibt es nur zwei Unterschiede: Adam wurde sofort mit Vernunft geschaffen, während sich diese bei den Kindern erst entwickeln muß. Außerdem kommen sie im Gegensatz zum Stammvater der Menschen in eine Welt hinein, in der »die Gewohnheit des Bösen herrscht«, die die Vernunft zu schwächen vermag[8]. Hier mußte es bald zu Differenzen mit der Gemeindetheologie kommen. Denn inzwischen hatte sich die Taufe der Kinder »zur Vergebung der Sünden« durchgesetzt. Welche Sünden sollten aber bei dem pelagianischen Sündenverständnis Kindern in der Taufe vergeben werden[9]? Wenn von einem Gerechtfertigtwerden »sola fide« gesprochen wird, dann wird darunter die Vergebung in der Taufe verstanden, die dem zuteil wird, der vorher wirkliche Sünden begangen hat[10]. In jedem Fall aber ist diese Vergebung »nichts Endgültiges, sondern nur ein von Gott gewährtes Mittel, um es dem Menschen zu ermöglichen oder doch zu erleichtern, daß er das von der göttlichen Gerechtigkeit geforderte Maß erreicht«[11]. Mit anderen Worten: *Die Vergebung, die durch die Taufe erfolgte, muß vom Menschen durch Sündlosigkeit bewahrt werden.*

Auch bei der pelagianischen *Interpretation der Gnade* mußte es zu Schwierigkeiten mit der kirchlichen Tradition kommen.

8 *Harnack*, DG 3, S. 196f.
9 Vgl. dazu die Erörterungen im pelagianischen Streit, unten Abschnitt 2.3.
10 *Loofs*, DG, S. 336.
11 *Holl*, S. 176.

Denn Gnade war für sie das, was Gott jedem Menschen zukommen läßt: Vernunft und freier Wille. Die Rede von einem »gnädigen Gott« mußte dagegen die vom gerechten, nämlich vergeltenden Gott beeinträchtigen. Dennoch haben die Pelagianer – offenbar in Anlehnung an die bisherige Überlieferung – die »Gnade Gottes« in ihre Theologie einzubauen versucht. Sie verstanden sie aber nicht als etwas, was die Gerechtigkeit relativiert und was wirklich umsonst gegeben wird, sondern als eine Hilfe für den Menschen, das Gute zu tun. Da diese Hilfe stets gewährt wird – dies entspricht der bonitas Dei –, kann auch gesagt werden, daß der Mensch nur, wenn die Gnade hilft, ohne Sünde sein kann[12]. Die Gnade erleichtert also das Gute, aber sie ist nicht grundsätzlich erforderlich. Ja, es gibt sogar Andeutungen, daß man viel lieber auf diese Annäherung an die kirchliche Lehre verzichtet und gar nicht von der Gnade geredet hätte. Dies wäre konsequenter gewesen und hätte dem Bild des freien Menschen besser entsprochen, das die Pelagianer entworfen hatten. Denn er ist von Gott ja *in die Selbständigkeit entlassen* worden, die er zu bewähren und dann im Gericht Gottes zu verantworten hat.

Aber diese Folgerungen sind höchstens angedeutet und nicht klar gezogen worden. Man hätte dann ja auch für Christi Werk auf Erden kaum mehr einen plausiblen Grund gehabt. Darum gesteht man zu, daß die Gewohnheit des Sündigens so stark geworden ist, daß die Erscheinung Christi deswegen erforderlich wurde. Aber *die Gnade Christi ist nur eine Hilfe, jedoch keine notwendige Voraussetzung für das Erwerben des Heils.* Christus bringt auch im Grunde gar nichts Neues: Nicht nur das Evangelium, sondern auch das Gesetz verweist uns auf das Himmelreich. Eine Diskrepanz zwischen Gesetz und Evangelium wird bestritten, ein Fortschreiten in der Geschichte des Heils durch Christus geleugnet. *Christus* kommt nur als *Lehrer der Wahrheit und* als *Vorbild in moralisch-asketischer Lebensweise* in Betracht. Von Versöhnung und Erlösung durch ihn, die den Christen zugeeignet würde, wird nicht gesprochen. Auch die Heiden, die recht leben und die nie etwas von Christus erfahren haben, werden vor Gott bestehen! Die Gnade wird nicht umsonst gegeben, sie ist auch keine wirkende Kraft, so daß sich alles auf das Tun des Menschen und das in ihm liegende Vermögen konzentriert. Er vermag vom Untersten zum Höchsten, vom Nichts zum Größten zu gelangen[13]. Gelingt dies dem vernünftigen und freien

[12] *Harnack*, DG 3, S. 197 Anm. 3.
[13] *Pelagius:* In epist. ad Rom. 2,4 (Patrologiae cursus completus, series latina, supplementum I, Paris 1958, Sp. 1134).

Menschen, kann er sich vom Bösen abwenden und braucht er Gottes Gericht nicht zu fürchten.

Diese *Konzentration auf den Menschen in der Rechtfertigungslehre* war neu. Sie beruhte auf einer ganz positiven Anthropologie, die zu faszinieren vermochte und die auch immer wieder Menschen in ihren Bann gezogen hat. Aber die Spannungen mit der kirchlichen Lehre konnten nicht ausbleiben. Obwohl Pelagius mit dem Bußruf begonnen hatte, mußte sein Verständnis von Sünde und Gnade, von Vernunft und Autorität, von freiem Willen und Christi Sendung, von Taufe und Selbstverwirklichung des Menschen doch bald Widerspruch hervorrufen. Der große und allein gewichtige Gegner der Pelagianer wurde Augustin, dessen Rechtfertigungslehre bereits entwickelt worden war, bevor die Streitigkeiten begannen.

Lesevorschlag *Alfred Schindler:* Gnade und Freiheit. Zum Vergleich zwischen den griechischen und lateinischen Kirchenvätern, in: ZThK 62, 1965, S. 178–195.

Literaturhinweise *Torgny Bohlin:* Die Theologie des Pelagius und ihre Genesis (Uppsala Universitets Årsskrift 1957, H. 9), Uppsala und Wiesbaden 1957. – *John Ferguson:* Pelagius. A Historical and Theological Study, Cambridge 1956. – *Gisbert Greshake:* Gnade als konkrete Freiheit. Eine Untersuchung zur Gnadenlehre des Pelagius, Mainz 1972. – *Gross* 1, S. 275–293. – *Lohse,* S. 111–115. – *Rudolf Lorenz:* Das vierte bis sechste Jahrhundert (Westen), in: Die Kirche in ihrer Geschichte, Bd. 1, Lief. C 1, Göttingen 1970, S. C 63–C 65. – *François Refoulé O. P.:* Julien d'Éclane, théologien et philosophe, in: Recherches de science religieuse 52, 1964, S. 42–84 und 233–247. – *Adolar Zumkeller:* Neuinterpretation oder Verzeichnung der Gnadenlehre des Pelagius und seines Gegners Augustinus?, in: Augustinian Studies 5, 1974, S. 209–226 (zu Greshake).

2.2 Augustin – Sünde und Liebe

Augustin war durch das Studium der paulinischen Briefe und durch seine persönlichen Erfahrungen[14] zu ganz anderen Ergebnissen als die Pelagianer gekommen[15]. Sein *Ausgangspunkt* war nicht die menschliche Vernunft, sondern *die Sünde.* Die gesamte Menschheit ist eine »massa peccati«. Selbst wo scheinbar Gutes

[14] Zu Augustin vgl. *Hans Freiherr v. Campenhausen:* Lateinische Kirchenväter (Urban Bücher Bd. 50), Stuttgart 1960, S. 151–221 (3. Aufl. 1972).
[15] Es geht hier um die Lehre des älteren Augustin. Auf die Darstellung der Vorformen seiner späteren Theologie kann verzichtet werden.

ist, erweist es sich bei genauerem Zusehen als von der Sünde beherrscht, so daß auch die Tugenden nichts anderes als »glänzende Laster« (splendida vitia) sind.

Hier hängt selbstverständlich alles davon ab, was unter Sünde verstanden wird. Will man sie begreifen, muß man nach Augustin ihren Ursprung und ihr Wesen feststellen. Der nordafrikanische Bischof kommt deswegen rasch zu dem *Sündenfall Adams* als dem entscheidenden Ereignis. Nach seiner Überzeugung wurden durch ihn die Weichen für alle Menschen gestellt. Der Stammvater der Menschen war von Gott mit wertvollen Anlagen versehen worden. Der Schöpfer hatte ihn mit Vernunft begabt und ihm einen freien Willen geschenkt. Adam war in der Lage, seinen Körper von der Seele leiten zu lassen. Dies war nicht zuletzt deswegen möglich, weil Gott ihm gnädig war, wodurch eine unmittelbare Verbindung zwischen Schöpfer und Geschöpf vorhanden war. Die göttliche Hilfe mangelte dem Menschen nicht. Adam besaß das »posse non peccare« – er brauchte nur (gestärkt von Gott) seinen freien Willen dem Guten zu- und von dem Bösen abzuwenden. Aus diesem »Nicht-sündigen-Können« folgte ein »non posse mori«. Hätte Adam sich an Gottes Gnade gehalten und sich von ihr bestimmen lassen, hätte er die Überwindung der Sünde, ein »non posse peccare«, und damit auch die Unsterblichkeit erreicht.

Aber Adam wollte »sein wie Gott« (Gen 3,5). Er wendete sich deswegen von seinem Schöpfer ab und dem Teufel zu. Dies ist *die Ursünde* und Ursprung aller Sünden: *Selbstliebe statt Gottesliebe,* Haß statt Liebe, Neid statt Selbstlosigkeit, Sinnlichkeit statt Geistigkeit bestimmen den Menschen nach dem Sündenfall. »Die menschliche Natur, die ursprünglich das Gute wollen konnte, ist durch den Sündenfall verderbt, des Guten unfähig und dem Zwang zur Sünde unterworfen.«[16] Der Stolz – superbia –, der laut Augustin der Anfang jeder Sünde ist[17], hat das menschliche Leben von Grund auf verändert. Jetzt ist »die Seele ... abgeschnitten von der Quelle des Lebens und dem Lichte der Weisheit und erstirbt«[18]. Denn eine Seele, die ohne Gott ist, ist geistlich tot. Aus dem »posse non peccare« wird ein »non posse non peccare«: Adam *muß* sündigen. Er hält sich jetzt an das Veränderliche und Vergängliche und vermag nicht mehr, seinem Leib zu gebieten. Die sinnliche Begierde – concupiscentia – beherrscht den gefallenen Stammvater der Menschen.

16 *Rudolf Lorenz:* Gnade und Erkenntnis bei Augustinus, in: ZKG 75, 1964, S. 73.
17 Vgl. *Harnack*, DG 3, S. 213 Anm. 4.
18 *Lorenz,* S. 74.

Aber nicht nur Adam selber trifft dieses Verhängnis, sondern alle Menschen. Denn alle werden durch die Zeugungslust von der Sünde infiziert, auf den Weg der Selbstliebe gestellt und von Demut abgehalten. Die Aussage der Bibel, durch »einen Menschen« sei die Sünde in die Welt gekommen (Röm 5,12), wird von Augustin dahingehend ausgelegt, daß alle Menschen in Adam waren bzw. daß alle jener Adam waren, so daß die von ihm ausgehende *Erbsünde zugleich persönliche Schuld* ist. Der gefallene Mensch muß ohne die Hilfe (»adiutorium«) Gottes, ohne seine Gnade auskommen, ausgeliefert an Begierde, Selbstruhm und Verblendung. Das Verderben ist so groß, daß die »massa peccati« unfähig ist, sich selber zu helfen. Die Lehre von der Erbsünde gehört nach Augustins Meinung zum »wahren, alten, katholischen Glauben«. Sie genügt allein – ohne alle Tatsünden – zur Verdammung, so daß auch die ungetauft sterbenden Säuglinge auf ewig verdammt sind[19].

Nur durch Gottes Erbarmen ist Rettung möglich. Er sendet Jesus Christus als Erlöser, durch den *Gottes Gnade* von neuem wirksam wird: Sie befreit von Sünde und Schuld sowie von der Herrschaft des Teufels und beseitigt die Kluft zwischen Gott und dem, der wie Gott hatte sein wollen. Diese Gnade aber wird – darauf legt Augustin großen Wert – voraussetzungslos gewährt, sie ist eine »gratia gratis data«, denn wäre sie dies nicht, dann wäre sie keine Gnade mehr (Enchiridion, Kap. 107). Wäre dies nicht der Fall, könnte kein Mensch gerettet werden, da der Verlorene sich nicht selber wieder finden könnte. Die Gnade kommt zuvor (»gratia praeveniens«) und schafft den neuen Menschen, der Gott vertraut und das Gute tut.

Aber Gottes Gnade wirkt dann auch im erneuerten Menschen (»gratia cooperans«) und erreicht es, daß der neue Weg nicht verlassen wird, daß Gutes wirklich getan und Verdienste (»merita«) erworben werden. Die gratia Dei stärkt auch den Glauben, der zunächst »auf Grund der Autorität der Kirche und der Schrift«[20] ein »Fürwahrhalten« ist, der zum Gehorsam fortschreitet, der in Vertrauen (»fiducia«) sich äußert und der in der Liebe sein Ziel findet. Wer dies überblickt, der gesteht: »Was hast du, das du nicht empfangen hast?«

Auch die *Kirche* erhält in diesem Rechtfertigungsgeschehen ihren Platz. In der Taufe spricht sie die Sündenvergebung zu, d. h., hier wird die Schuld der Erbsünde hinweggenommen. Aber die Kirche begleitet auch den Gerechtgesprochenen auf seinem Weg

---

[19] *Loofs,* DG, S. 308.
[20] *Harnack,* DG 3, S. 205.

vom Eigenlob zum Gotteslob, von der Eigenliebe zur Gottes- und Nächstenliebe. Denn Rechtfertigung kann Augustin sich nur so vorstellen, daß *der Gerechtgesprochene auch faktisch gerecht wird*, daß er nicht mehr Werke der Sünde, sondern der Liebe tut, daß er Lust an Gott und nicht mehr an Vergänglichem hat, daß an die Stelle der schlechten Begierde die gute tritt. Jeder muß in Gottes Gericht »Verdienste« vorweisen können, wenn er dort bestehen will. Zwar sind alle guten Werke Gaben Gottes, auf den alles Gute zurückgeht, aber es bleibt dennoch die Forderung bestehen, daß dieses Gute vorgezeigt werden muß.

Der Nordafrikaner ist realistisch genug zu erkennen, daß dieses Gerechtwerden auf Erden nie abgeschlossen ist. Aber er hat stets betont, daß *die guten Werke* des Gerechtfertigten nicht Voraus- setzung, sondern *Folge der Gnade* sind. Menschliches Tun darf nicht zur Bedingung für die geschenkte Gnade gemacht werden.

Aber wem wird diese Gnade zuteil? Augustin ist der Meinung, daß nur eine bestimmte Zahl von Menschen durch Gott gerettet wird. *Gott erwählt,* er prädestiniert zum Heil, wen er will. Gott rettet nicht etwa die, die sich ihm aus eigener Kraft zuwenden – denn diese Fähigkeit besitzt der Sünder ja gar nicht –, sondern diejenigen, die er erwählt. Glaube und Liebe der Erwählten, rechtes Leben der Erretteten, sind die Folge der Prädestination Gottes, an der er unerschütterlich festhält. Die Erwählung Gottes ist auch die Voraussetzung dafür, daß der Mensch den beschwer- lichen Weg zum Guten schafft, daß er Taten der Liebe tatsächlich vollbringt. Gott schenkt dem Prädestinierten das »donum perseverantiae«. Viele sind berufen – aber wer das Geschenk der Beharrlichkeit nicht erhält, wer nicht durchhält bis ans Ende, der wird nicht selig werden. Insofern ist die Gnade nicht nur eine gratia praeveniens und eine gratia cooperans, sondern auch eine gratia irresistibilis[21]: Wen Gott erwählt hat, den bringt er auch zu diesem Ziel, er führt ihn unwiderstehlich zum Heil. Warum einige berufen, aber nicht erwählt werden, warum überhaupt die einen erwählt werden, die anderen aber nicht, vermag Augustin nicht zu erklären. Er führt es auf Gottes unerforschlichen Plan zurück. Jedenfalls erwählt Gott nicht, weil er weiß, was der Mensch tun wird, sondern er prädestiniert, weil er weiß, was er selber zu tun vorhat. Kein Mensch kann sicher sein, daß er zu den Auserwählten gehört. *Eine persönliche Heilsgewißheit gibt es nicht*[22]. Das kann nur dazu führen und hat in der Folge- zeit auch dazu geführt, daß der Glaubende sich verstärkt um

[21] *Loofs,* DG, S. 304 Anm. 9.
[22] *Harnack,* DG 3, S. 208 Anm. 4, und *Loofs,* DG, S. 308f.

das Gute bemüht, das im Gericht Gottes als meritum anerkannt wird – obwohl dies die gratia gratis data zugleich wieder in Frage zu stellen vermag.

Festgehalten wird aber, daß *die iustitia Dei seine rechtfertigende Gabe* ist. Die Gerechtigkeit Gottes ist nicht jene, durch die er selbst gerecht ist, sondern durch die er Menschen gerecht macht[23]. Weil aber der Verdienstbegriff trotzdem beibehalten wird – allerdings in der Interpretation: alle merita sind Wirkungen der Gnade –, kann Augustin zugleich die Lehre von der Rechtfertigung »allein aus Glauben« bekämpfen. Er schreibt ein eigenes Werk »De fide et operibus«, in dem er auf deren engen Zusammenhang verweist. Es geht ihm nicht um eine formale Gerechtsprechung des Sünders, sondern um dessen effektive Gerechtwerdung. Deswegen kann Augustin sogar sagen, das ewige Leben sei der Lohn für die »guten Werke« (Enchiridion, Kap. 107). Dadurch soll sicher nicht die Gnade als wertlos hingestellt werden, aber es soll doch unüberhörbar zum Ausdruck gebracht werden, daß nur der Glaubende, der Werke der Liebe tut, erwarten kann, in Gottes Gericht zu bestehen. Mit anderen Worten: Augustins »theologia gratiae hat ihr Ziel in seiner theologia caritatis«[24].

Gesetz und Evangelium werden auch nicht wie im Pelagianismus als zwei ähnliche Wege bezeichnet, die im Grunde dasselbe bewirken, sondern der Unterschied zwischen dem Gesetz einerseits und der Gnade oder dem Glauben andererseits wird klar herausgestellt. So kann Augustin sagen: »Der Glaube erlangt, was das Gesetz verlangt.«[25] Wo das Gesetz befiehlt, dem Sünder aber keine Hilfe gibt, das Geforderte zu tun, da erlangt der Glaube durch Gottes Gnade das, was ihm aus eigener Kraft unzugänglich geblieben war. Es wird auch das »Ende« des Gesetzes zum Ausdruck gebracht: »Das Gesetz ist gegeben worden, damit die Gnade gesucht wird.« Das Scheitern des Gesetzes als Heilsweg verweist – gut paulinisch – auf Gottes Gnade. Aber es wird zugleich auch sofort betont, daß das Gesetz dadurch durchaus nicht aufgehoben wird. Denn Augustin fährt fort: »Die Gnade ist gegeben worden, damit das Gesetz erfüllt wird« (De spiritu et littera XIX, 34). Der *Zusammenhang von Glaube und Werk* wird also auch bei dieser Gelegenheit eingeschärft: Dem Gerechtgesprochenen ist es möglich, das zu tun, was der Sünder von sich aus nicht vermochte.

[23] *Holl*, S. 175.
[24] *Anders Nygren:* Eros und Agape. Gestaltwandlungen der christlichen Liebe, 2. Aufl., Gütersloh o. J. (1950), S. 419.
[25] *Harnack*, DG 3, S. 218 Anm. 1.

Waren die Pelagianer von der guten Natur des Menschen ausgegangen, so betont Augustin genau umgekehrt die sündige Beschaffenheit aller Menschen seit der Urschuld Adams. Wo die Pelagianer von Vernunft und freiem Willen reden, spricht der Nordafrikaner von Begierde und Stolz des gefallenen Menschen. Die Erbsünde, die seit Adam auf allen lastet, bestimmt den Menschen, der dadurch von Gott getrennt ist. Seine Natur ist nicht mehr gut, sondern zerstört, und die Macht des Geistes über den Körper ist verschwunden. *Rechtfertigung ereignet sich deswegen nur durch ein übermenschliches Eingreifen,* durch die Gnade Gottes in Jesus Christus. Sie wird zur Grundlage des Heilsvorganges gemacht – sie allein. Von einem sola gratia kann deswegen bei Augustin trotz seiner Forderung der Verdienste durchaus gesprochen werden.

Indem Gottes Erwählung zur alleinigen Ursache für das Heil erklärt wird, wird die *Abhängigkeit des Menschen von seinem Schöpfer* drastisch deutlich. Dem Menschen werden allein durch Gott Glaube und Fähigkeit zu guten Werken zuteil. Die Nichterwählung von Menschen muß unerklärt bleiben. Diejenigen aber, die durch die Taufe von der Erbschuld befreit wurden, tun Werke der Liebe und nicht mehr Taten der Sünde. Ihre Gerechtsprechung vollzieht sich in Gottes Gericht, wo ihre Verdienste belohnt werden.

Man hat diese Aussagen von den verschiedensten Seiten her kritisiert. Die Pelagianer denunzierten diese Anthropologie als manichäisch, als dem christlichen Gottesbild unangemessen. Man wird auch kaum bestreiten können, daß manche Vorstellungen über Natur und Begierde dem biblischen Schöpfungsgedanken fernstehen. Die naturhaft gedachte Vererbung der Sünde durch concupiscentia bei der Zeugung bringt eine »Diskrepanz zum Natürlichen«[26] zum Ausdruck, die man auch als »Last des augustinischen Erbes« für die folgenden Jahrhunderte zu bezeichnen vermag[27]. Auch ist zu fragen, ob durch die Sünde die Natur zerstört wurde, ob eine »Erhöhung der zerstörten Natur« wirklich das Ziel des Rechtfertigungsgeschehens ist[28]. Hier könnten platonisierende Einflüsse wirksam sein, die den Menschen auf den nie zu unterbrechenden Weg nach oben zwingen[29]. Ob dabei noch ein positives Weltverhältnis gefunden werden

---

[26] *J. Baur,* S. 25.
[27] *Dietrich Ritschl:* Die Last des augustinischen Erbes, in: Paarhesia. Karl Barth zum 80. Geburtstag, Zürich 1966, S. 470–490.
[28] *J. Baur,* S. 25.
[29] *Nygren:* Eros und Agape, S. 406f. und 416f.

kann, ob der Mensch dadurch nicht auf die eigene Innerlichkeit geworfen wird, muß gefragt werden[30].

Zugleich läßt sich aber nicht übersehen, daß Augustin wie kein anderer Theologe der Alten Kirche *das Gnadenhandeln Gottes zur Grundlage und zum Mittelpunkt der Rechtfertigungslehre gemacht hat.* Hier wurden keine Vorleistungen des Menschen gefordert, die Bedingungs- und Voraussetzungslosigkeit der Gnade wurde per definitionem gesichert. Dadurch wurden die Menschen frei von der Angst, sich selber erlösen, für ihr Heil selber sorgen zu müssen. Außerdem blieb die Macht Gottes als entscheidende Größe gewahrt. Wo Pelagius von ethischem Interesse bestimmt war, wo ihn Furcht vor der Laxheit der groß gewordenen Gemeinden erfüllte, da betont Augustin die Abhängigkeit des Menschen von und die Geborgenheit in Gott, in dem allein »Ruhe« zu finden ist. Es konnte nicht ausbleiben, daß zwei so konträr sich widersprechende Theologien zur Auseinandersetzung herausforderten.

Lesevorschlag   *J. Baur,* S. 21–32.

Literaturhinweise   *Peter Brown:* Der heilige Augustinus. Lehrer der Kirche und Erneuerer der Geistesgeschichte (Heyne Biographien, Bd. 18), München 1973. – *Erich Dinkler:* Die Anthropologie Augustins (Forschungen zur Kirchen- und Geistesgeschichte, 4. Bd.), Stuttgart 1934, S. 166–187. – *Hans Jonas:* Augustin und das paulinische Freiheitsproblem. Eine philosophische Studie zum pelagianischen Streit, 2. Aufl. (Forschungen zur Religion und Literatur des Alten und Neuen Testaments, 44. Heft), Göttingen 1965. – *Walther von Loewenich:* Augustin. Leben und Werk (Siebenstern-Taschenbuch 56), München und Hamburg 1965, S. 101–117. – *Rudolf Lorenz:* Gnade und Erkenntnis bei Augustinus, in: ZKG 75, 1964, S. 21–78. – *Ders.:* Zwölf Jahre Augustinusforschung (1959 bis 1970), XII. Die Gnadenlehre, in: Theologische Rundschau N. F. 40, 1975, S. 132–149. – *Gotthard Nygren:* Das Prädestinationsproblem in der Theologie Augustins. Eine systematisch-theologische Studie, Göttingen 1956, S. 228 bis 293. – *Hans Staffner S. J.:* Die Lehre des Heiligen Augustinus über das Wesen der Erbsünde, in: Zeitschrift für katholische Theologie 79, 1957, S. 385–416. – *Martin Strohm:* Der Begriff der »natura vitiata« bei Augustin, in: Theologische Quartalschrift 135, 1955, S. 184–203.

[30] *J. Baur,* S. 29.

2.3 Der pelagianische Streit – Gnade und Werk

In Nordafrika, wo Augustins Rechtfertigungslehre Zustimmung gefunden hat, stößt die pelagianische Verkündigung, die Caelestius 411 in Karthago vorträgt, auf Widerspruch. Man hält folgende Aussagen für häretisch:

1. Adam, der sterblich erschaffen wurde, wäre gestorben, ob er gesündigt hätte oder nicht.
2. Die Sünde Adams schadete ihm allein und nicht dem Menschengeschlecht.
3. Die Kinder, die geboren werden, sind in demselben Zustand, in dem Adam vor seiner Übertretung war.
4. Das ganze Menschengeschlecht stirbt ebensowenig durch den Tod oder die Sünde Adams, als es durch die Auferstehung Christi aufersteht.
5. Das Gesetz verweist genauso auf das Himmelreich wie das Evangelium.
6. Vor der Ankunft Christi auf der Erde gab es Menschen ohne Sünde[31].

Caelestius gab zwar zu, daß über die hier angeschnittenen Aussagen diskutiert werden könne, weigerte sich aber, sie als häretisch anzusehen. Die größte Schwierigkeit bereitete ihm dabei die Kindertaufe, die er anerkannte, die er aber nur als Versöhnungshandlung, dagegen nicht als Akt zur »Vergebung der Sünde« zu interpretieren vermochte. Es gelang ihm deswegen nicht, einer Verurteilung zu entgehen. Er appellierte daraufhin an den Bischof von Rom und ging in den Osten.

Dort hielt sich Pelagius bereits auf. Ihm ist es gelungen, im Jahr 415 eine Anerkennung seiner Theologie zu erreichen, wobei ihm zugute kam, daß Augustins Anschauungen den griechischen Theologen fremd waren. Gleichzeitig wandte Pelagius sich aber auch gegen die Sätze des Caelestius, die 411 verurteilt worden waren. Da diese Distanzierung kaum mit seinen eigenen Schriften in Einklang gebracht werden konnte, beantragten im Jahr 416 zwei nordafrikanische Bischofskonferenzen beim römischen Bischof die Verurteilung des Pelagius und des Caelestius. Man warf ihnen vor, daß sie 1. die Notwendigkeit der Gnade zur Vermeidung der Sünde und zum Tun des Gerechten und 2. die Notwendigkeit der Taufe für die Kleinkinder zur Erlangung des ewigen Lebens leugneten[32].

31 Vgl. *Loofs,* DG, S. 340.
32 *Gross,* Bd. 1, S. 281.

Innozenz I., Bischof von Rom, benutzte seine Antwort, um die Bedeutung seines Bistums für theologische Entscheidungen zu unterstreichen: Die Wahrheit fließt von Rom aus und verteilt »sich von dort in kleinen Bächen in die übrigen Kirchen«. In der Sache hält er die nordafrikanische Kritik für begründet: *Die Notwendigkeit der göttlichen Gnade darf nicht geleugnet werden!* Auch kann den Kindern ohne die Taufe die Seligkeit nicht verheißen werden. Innozenz schließt sich dem Urteil der Anhänger Augustins an und exkommuniziert Pelagius und Caelestius. Sie können erst wieder in die kirchliche Gemeinschaft aufgenommen werden, wenn »sie sich von den Stricken des Teufels« befreit haben[33]. Damit deutete sich eine Differenz zwischen lateinischer und griechischer Kirche an, obwohl die westlichen Gegner Augustins den östlichen Teil der Christenheit nahezu gegen dessen Willen mit dieser Frage befaßt hatten.

Pelagius gab seine Sache in Rom aber noch nicht verloren. Er schickte eine Rechtfertigungsschrift nach dort, in der er erklärte, daß zwar alle Menschen die Kraft des guten Willens von Gott erhalten haben, daß aber nur bei den Christen »das göttliche adiutorium« wirkt. Man dürfe doch nicht behaupten wollen, Gott gebiete den Menschen Unmögliches! Bevor dieser Brief in Rom ankam, war Innozenz gestorben. Sein Nachfolger Zosimus, ein Grieche, stand den augustinischen Gedankengängen fern. So hatte es Caelestius, der persönlich nach Rom eilte, verhältnismäßig leicht. Er unterwarf sich von vornherein dem bischöflichen Richtspruch, milderte aber auch seine bisherigen Aussagen ab. Jetzt erklärte er sich bereit, von einer Taufe zur Vergebung der Sünden zu sprechen, »um nicht den Anschein zu erwecken, als führten wir verschiedene Arten von Taufen ein«. Zugleich meinte er aber, die Behauptung einer Weitergabe »der Sünde aus dem Samen« widerspreche katholischem Denken. Diese Lehre verunehre den Schöpfer, weil sie unterstelle, »die Sünde werde dem Menschen durch die Natur übermittelt, bevor sie von ihm begangen wird«[34].

Diese Taktik hatte Erfolg. Zosimus fühlte sich nicht durch das Urteil seines Vorgängers gebunden, sondern erklärte, die Angegriffenen und Beschuldigten seien nie von der katholischen Lehre entfernt und damit nicht von der katholischen Kirche getrennt gewesen. Die nordafrikanischen Ankläger wurden als leichtfertig bezeichnet und getadelt, weil sie vorschnell geurteilt hätten. Sie sollten innerhalb von zwei Monaten nachweisen, daß Caelestius

33 *Harnack*, DG 3, S. 180.
34 Zit. bei *Gross*, Bd. 1, S. 283.

»anders denkt, als er in seiner Schrift und in seinem Bekenntnis darlegt«[35].

Die Nordafrikaner fühlten sich durch diese Entscheidung aber weder widerlegt noch festgelegt. Sie erklärten auf einer Synode im Winter 417, sie blieben bei ihrer Verurteilung, bis geklärt sei, ob Pelagius und Caelestius »in der Gnade nicht nur eine Erleuchtung des Verstandes, sondern die einzige Kraft zum Guten« erkennen[36]. Sie teilten Zosimus mit, daß er sich von Caelestius habe täuschen lassen; sie selber wollten bei dem Urteil seines Vorgängers bleiben. Der Bischof von Rom tadelte daraufhin zwar in einem Brief die Nordafrikaner, weil sie eine Entscheidung des apostolischen Stuhles weiter diskutierten und nicht unbesehen akzeptierten. Aber er zeigte doch eine starke Unsicherheit, wenn er behauptete, er habe nichts geändert, »sondern alles in dem Zustand gelassen, in dem es früher war«[37]. Unmittelbar nach Eintreffen dieses Schreibens kamen am 1. Mai 418 mehr als 200 Bischöfe in Karthago zusammen. Nochmals wurde der Pelagianismus scharf verurteilt. Die »Vererbung« der Ursünde durch die Zeugung wurde unmißverständlich zum Ausdruck gebracht. Man war so aufgebracht gegen Zosimus, daß man »jede Appellation nach Rom mit Excommunication belegte«[38].

Jetzt lenkte Zosimus ein. Er lud nochmals Caelestius vor – der hatte Rom aber bereits verlassen –, verurteilte Pelagius und Caelestius und forderte alle Bischöfe auf, »die Lehre von der absoluten Bedeutung der rechtfertigenden Gnade und von der Erbsünde« zu vertreten[39]. Aber achtzehn italienische Bischöfe weigerten sich. Ihr Wortführer wurde Julian von Aeclanum, der besonders Augustins Interpretation der concupiscentia angriff. Aber auch er vermochte die Entwicklung nicht wieder rückgängig zu machen. *Die pelagianische Lehre vom bonum naturae unterlag Augustins theologia gratiae.* Aber auch sie konnte sich nicht ganz durchsetzen.

Der Widerstand entzündete sich vor allem am Gedanken der »unwiderstehlichen Gnade« und der damit zusammenhängenden Prädestinations- und Willenslehre. Man hat die Theologen, die so dachten, »Semipelagianer« genannt, obwohl sie auch als »Semiaugustiner« bezeichnet werden könnten[40]. Denn sie leugneten

---

35 *Gross,* Bd. 1, S. 283.
36 *Harnack,* DG 3, S. 183.
37 *Gross,* Bd. 1, S. 284f.
38 *Harnack,* DG 3, S. 183. Dieser Beschluß lautete: »Wer an ein Gericht jenseits des Meers appelliert, darf von niemand innerhalb Afrikas mehr in die Kirchengemeinschaft aufgenommen werden« (zit. nach *Gross,* Bd. 1, S. 288).
39 *Harnack,* DG 3, S. 184.
40 Vgl. *Loofs,* DG, S. 351.

nicht die Erbsünde, betonten auch die Gnade Gottes als Fundament des Heils. Aber sie hielten *eine gewisse Vorbereitung des Menschen auf die Gnade für möglich und erforderlich:* Wir können unseren Willen und unsere Gedanken auf Gott richten oder von ihm abwenden. Wir vermögen nichts ohne die Gnade, aber wer sich ihr widersetzt, der wird von Gott nicht gezwungen. Der freie Wille wird nie zerstört von dem, der ihn geschaffen hat. Außerdem will Gott doch das Heil aller. Wieso sollte er dann nur wenige zur Seligkeit prädestinieren? Die »Semipelagianer«, Männer wie Johannes Cassianus oder Vinzenz von Lerinum, lehnten es also ab, Fragen zu stellen, die über das hinausführten, was beantwortbar ist. Sie betonten den Beitrag des Menschen zum Rechtfertigungsgeschehen und legten gleichzeitig Wert auf Gottes Handeln und Hilfe. Man begnügte sich mit der Präszienz Gottes und verwarf die Prädestination. Es ist bezeichnend, daß dieser Widerspruch vor allem von Mönchen formuliert wurde. Ihr Interesse ging dahin, die aktive Beteiligung des Menschen sicherzustellen: Was geschieht, wenn der Christ nicht mehr auf seinen Anteil am Heilserwerb angesprochen werden kann? Aber dazu erhebt sich die Gegenfrage: Wird dadurch nicht wieder alles in die Verantwortung des Menschen gelegt?

Das rief verständlicherweise die Anhänger Augustins auf den Plan. Prosper von Aquitanien verteidigte die Lehren des Nordafrikaners, indem er darauf hinwies, daß von seinem Lehrer, ihm und seinen Freunden nur die Prädestination zum Heil vertreten werde. Davon müsse Gottes Vorherwissen in bezug auf die Verworfenen unterschieden werden. Immer müsse davon ausgegangen werden, daß Gottes Handeln nur durch Gerechtigkeit und Heiligkeit bestimmt sei. Man versuchte sogar, die Prädestinationslehre mit der Allversöhnungsanschauung zu verbinden[41]. Aber dies vermochte sich nicht durchzusetzen. Vor allem Faustus von Reji, »Südgalliens bedeutendster Bischof in der zweiten Hälfte des 5. Jahrhunderts«[42], wandte sich gegen den strengen Augustinismus. Er war der Meinung, daß Gottes Gnade und des Menschen Freiheit sich nicht ausschließen, sondern zusammengehören. Nach seiner Überzeugung gibt es die Erbsünde und den Tod als ihre Folge. Der Mensch kann sich also nicht selber erlösen, aber er vermag der Gnade zu widerstreben. Der Wille des Menschen ist geschwächt, aber nicht zerstört. Man darf nicht der Gnade Gottes alles zuschreiben wollen, sonst gerät man in »heidnische« Torheiten. Statt dessen bezeichnet Faustus den Glauben

---

41 Vgl. *Harnack,* DG 3, S. 245–247.
42 *Loofs,* DG, S. 353.

als »Werk« und »Leistung des Menschen« und meint, »die fides als Kenntnis Gottes« sei auch nach dem Sündenfall im Menschen geblieben. Der Mensch, der sich bemüht, Gottes Gesetz zu erfüllen, erhält die erlösende Gnade, die zusammen mit dem Willen vollkommene Verdienste erwirbt[43]. Hier wird also wieder auf Positionen zurückgelenkt, die Augustin überwunden zu haben glaubte. Die Natur erscheint wieder in fast pelagianischem Licht, und die Erlösung vollzieht sich nur in Übereinstimmung mit dem menschlichen Willen, der dem Heil erfolgreich Widerstand zu leisten vermag.

Aber die augustinische Tradition war noch nicht vergessen. Fulgentius von Ruspe wandte sich gegen den angesehenen Faustus und vertrat die Partikularität des göttlichen Heilswillens, sprach sogar von einer »praedestinatio ad poenam« – allerdings nicht »ad peccatum«. Wichtiger aber ist, daß der bedeutendste südgallische Bischof aus der ersten Hälfte des 6. Jahrhunderts, Caesarius von Arles, augustinische Gedanken vertrat, die auf der Synode von Orange 529 diskutiert wurden. Hier wurde die Theologie des Nordafrikaners in einer Form akzeptiert, die für Jahrhunderte bestimmend bleiben sollte. In Orange wurde unter anderem festgelegt, daß der natürliche Mensch völlig unfähig sei zum Guten, daß die Gnade dem menschlichen Wollen und Tun vorangeht und daß alle Verdienste auf der »Eingießung des Heiligen Geistes« beruhen, die nur durch Gottes Gnade möglich werden. *Der Anfang des Glaubens* liege nicht in uns, sondern *in Gottes Erbarmen*. Man differenziert wieder Gesetz und Evangelium sowie Gnade und Natur: »Das Gesetz rechtfertigt nicht, und die Gnade ist nicht die Natur.« Auf Christus als den, der das Gesetz »erfüllte und die Natur wiederherstellte, die durch Adam verderbt worden war«, wird hingewiesen[44].

Auffällig ist aber auch, was von Augustin nicht übernommen wird: weder wird eine Aussage über die Prädestinationslehre noch eine über eine gratia irresistibilis gemacht. Die Spitzensätze der Rechtfertigungslehre des Nordafrikaners werden zwar nicht verworfen, aber weil sie nicht ausdrücklich anerkannt werden, können sie in Zukunft als nicht zur kirchlichen Tradition gehörig hingestellt werden. Aber schon die Tatsache, daß die Lehre von der gratia praeveniens anerkannt wird, überrascht angesichts der großen Sympathien, die die »Semipelagianer« besessen hatten. Dies ist nicht zuletzt auf Rom zurückzuführen, wo man diesen *verkürzten Augustinismus* rezipiert hatte[45].

43 *Harnack*, DG 3, S. 249f.
44 *Harnack*, DG 3, S. 254f.
45 *Harnack*, DG 3, S. 256.

Die Rechtfertigung erscheint nun als ein Vorgang, bei dem am Anfang die Gnade Gottes steht. Aber im Leben des Christen hat sich dann sein freier Wille zu bewähren und gute Werke zu tun. Dabei hilft die Gnade, aber es verbleibt doch der Appell zu verdienstlichem Tun. Während bei Augustin die Überwindung der Sünde durch die Liebe als das letzte Ziel erschien, wird von der Synode in Orange und dem von ihr bestimmten Augustinismus das *Miteinander von Gnade und Werk* betont. Dabei konnte es aber nicht ausbleiben, daß dieses Mit- und Nebeneinander recht unterschiedlich gedeutet wurde. Nur die wichtigsten Positionen, die in dem knappen Jahrtausend zwischen 529 und 1500 eingenommen wurden, können wir uns nun vergegenwärtigen.

Lesevorschlag   *Lohse,* S. 121–130.

Literaturhinweise   *Carl Andresen:* Die Kirchen der alten Christenheit (Die Religionen der Menschheit, Bd. 29, 1/2), Stuttgart etc. 1971, S. 548–558. – *Rudolf Lorenz:* Das vierte bis sechste Jahrhundert (Westen), in: Die Kirche in ihrer Geschichte Bd. 1, Lief. C 1, Göttingen 1970, S. C 65–C 71. – *J. R. Lucas:* Pelagius and St. Augustine, in: The Journal of Theological Studies, New Series, Bd. 22, 1971, S. 73–85. – *Harry J. McSorley:* Luthers Lehre vom unfreien Willen nach seiner Hauptschrift De Servo Arbitrio im Lichte der biblischen und kirchlichen Tradition (Beiträge zur ökumenischen Theologie, Bd. 1), München 1967, S. 111–121. – Siehe auch die Literatur zu den Abschnitten 2.1 und 2.2.

3 Entwicklung der Rechtfertigungslehre – das Mittelalter

3.1 Die Frühscholastik (12. Jahrhundert) – Vernunft und Glaube

In der mittelalterlichen Theologie geht man von der Vereinbarkeit von Natur und Offenbarung, von Vernunft und Glaube aus. Den natürlichen Fähigkeiten des Menschen wird viel zugetraut, gehen sie doch auf den Schöpfer zurück, der mit dem Offenbarungsgott identisch ist. Die Harmonisierung von rationaler Erkenntnis und theologischer Tradition bereitet Schwierigkeiten, zumal letztere alles andere als eindeutig ist. Aber da »der Glaube, der Einsicht sucht« (fides quaerens intellectum), in der Bibel seine letzte Norm findet, so daß Anselm von Canterbury alles, was ihr widerspricht, als falsch erklärt (Cur Deus homo I, 18), findet letztlich eine *Unterordnung der Vernunft unter den Glauben* statt (»credo, ut intellegam«). Aber zugleich bemüht sich doch gerade Anselm, die *Vernünftigkeit dieses Glaubens* nachzuweisen. Er meint, man könne feststellen, daß sich das gesamte Heilsgeschehen aufgrund »vernünftiger Notwendigkeit« vollzogen habe. Dabei hat Anselm die Rechtfertigung zum Mittelpunkt seiner theologischen Erwägungen gemacht und ganz neu die Person Christi als des Erlösers in diesen Vorgang eingeordnet[1].
Ausgangspunkt ist Augustins Urstands- und Erbsündenlehre. Wie der Bischof von Hippo, so geht auch der Erzbischof von Canterbury davon aus, daß alle Menschen durch Adams Sündenfall die Urgerechtigkeit verloren: In Adam haben alle Menschen gesündigt, weil in ihm »die menschliche Gesamtnatur, *der* Mensch schlechthin« sündigte[2]. Die Folgen des Verlustes der Urgerechtigkeit sind Ungerechtigkeit, Sünde und Schuld. Denn Gerechtigkeit

---

[1] A. Ritschl hat seine bekannte Geschichte der »christlichen Lehre von der Rechtfertigung und Versöhnung« wohl aus diesem Grund bei Anselm begonnen (1,31ff.).
[2] *Gross,* Bd. 3, S. 18.

schuldet das Geschöpf dem Schöpfer. Fehlt sie, wird dieser Mangel zur Schuld, zur Sünde. Notwendigerweise vergeht sich der Mensch in seinem Leben an Gott. Denn er erweist Gott nicht die erforderliche Ehre.

Anselm meint nun, daß dieses Vergehen durch eine Strafe oder durch eine Wiedergutmachung ausgeglichen werden könne. Die Schuld des Menschen einfach zu vergeben, zieme Gott nicht: Die Rechtsordnung, die durch die Verletzung der Ehre Gottes zerstört wurde, muß durch eine »Wiedergutmachung« (satisfactio) wiederhergestellt werden. Zu der Voraussetzung, daß *in Gott die Gerechtigkeit gewichtiger sei als die Barmherzigkeit,* tritt noch die weitere, daß der sündige Mensch die Satisfaktion nicht vollbringen könne, weil er Gott höchstens pflichtmäßig, aber nicht aus freien Stücken und mit Liebe zu ehren imstande sei, wodurch dem Gericht der menschlichen Sünde aber nicht Genüge getan zu werden vermöge. *Es mußte* deswegen *Gott sich selber die erforderliche Wiedergutmachung leisten.* Dies tat der »Deus homo«: Christus. Er erduldete freiwillig den Tod für alle Menschen, denn er selber war ohne Schuld. Jesus Christus bewirkte durch seine satisfactio die Erlösung der Menschen und ihre Versöhnung mit Gott.

Hier wird *Gottes Tat als die alleinige Ermöglichung von Rechtfertigung* angesehen. Eine Selbstbefreiung des Menschen ist unmöglich. Die Gnade ist die unabdingbare, absolut notwendige Voraussetzung für das Heil. Von sich aus konnte der Mensch nicht der »sündigen Masse« entrinnen. Die Versöhnung konnte nur – wie Anselm meint – durch den Gottmenschen erfolgen, weil er zugleich Mensch – und damit den Sündern verbunden – und Gott – und damit eins mit dem zu Versöhnenden – war. Der Erzbischof von Canterbury erklärt, daß sich vernünftigerweise das Heilsgeschehen gar nicht anders vollziehen konnte, als es sich abspielte. Die Vernunft selber zeige diesen Weg als den allein möglichen auf. *Das Mysterium der Menschwerdung Gottes und der Versöhnung der Menschen* wird hier seines bisherigen Charakters entkleidet und *als logisch erforderlich hingestellt.*

Dies geschieht, indem nicht nur die »Vernünftigkeit« des Heilsgeschehens aufgezeigt wird, sondern indem zugleich Hinweise auf die Versöhnung und Erlösung durch Christus, wie sie sich von Paulus bis Augustin und darüber hinaus finden, systematisiert und verabsolutiert werden. Begriffe aus der Bußlehre wie satisfactio und meritum werden jetzt auf das Werk Christi angewendet. Der Gedanke, daß der Tod des Gottessohnes ein Lösegeld für den Teufel gewesen sei, wird abgelehnt. Der Teufel hat an den Menschen keine Forderungen. Was der Mensch schuldet,

schuldet er Gott (Cur Deus homo I,7). Damit werden mythologische Vorstellungen abgebaut, die bis zu dieser Zeit hin – häufig in Diskrepanz zu anderen Aussagen – vertreten worden waren[3]. Aber indem behauptet wird, die Erlösung und Rechtfertigung des Menschen habe sich so und nur so vollziehen können, was Anselm lediglich aus der Vernunft unter Absehung von der Offenbarung beweisen wollte[4], wurde einer Formalisierung das Wort geredet, die erhebliche inhaltliche Schwierigkeiten mit sich brachte. Was ist das für ein Gott, »der seiner beleidigten Ehre wegen zürnt und den Zorn nicht eher aufgibt, als bis er irgendein mindestens gleich großes Äquivalent erhalten hat«? Was ist das für ein Christus, der eigentlich nicht zu predigen und Jünger um sich zu sammeln brauchte, der lediglich sterben mußte[5]? Hinzu kommt, daß die Zuwendung des Werkes Christi zu den Menschen logisch ihre Schwierigkeiten bereitet, daß überhaupt diese Art des Denkens nur aufgrund von verschiedenen Axiomen zwingend erscheinen konnte und daß damit an die Stelle eines historischen Geschehens eine Theorie trat, die das spezifisch Christliche völlig in den Hintergrund treten ließ. Es ist deswegen nicht verwunderlich, daß *diese Vorordnung der Vernunft auf Widerspruch stieß*, obwohl sie mit einer Betonung der göttlichen Gnade verbunden war, die sich bisher so nur bei Augustin feststellen ließ.

Auch *Peter Abaelard* mühte sich um die Verbindung von Vernunft und Glaube. Aber wo Anselm die Geheimnisse der Offenbarung stringent beweisen wollte, begnügte er sich damit, sie »mit wahrscheinlichen und sehr achtbaren Gründen« zu erhellen[6]. Er geht von der *Liebe Gottes als der entscheidenden Voraussetzung* aus und betrachtet als die eigentliche Sünde die Verachtung ihres Schöpfers. Sie gilt es zu besiegen und zu überwinden, damit der Mensch wieder zu Gott zurückgeführt und mit Vertrauen zu ihm erfüllt wird. Daß Christus gestorben sei, um sich als Lösegeld für den Teufel darzubringen, lehnt er »noch entschiedener als Anselm ab«[7]. Der Gottessohn hat sich vielmehr dem Vater als Opfer dargebracht und unsere Strafe auf sich genommen. Er hat uns dadurch von der Knechtschaft der Sünde befreit und uns gerechtfertigt, uns nämlich »die wahre Freiheit der Söhne Gottes erworben«. Dadurch erweckt er Liebe und Ver-

---

3 *Loofs*, DG, S. 414.
4 Augustin hatte die Art und Weise der Erlösung, wie sie sich vollzog, nur als die angemessenste bezeichnet (*Loofs*, DG, S. 415).
5 *Harnack*, DG 3, S. 408.
6 *Gross*, Bd. 3, S. 69.
7 *Harnack*, DG 3, S. 409.

trauen, die nun die Menschen veranlassen, auch selbst Gerechtes zu tun.

Aber dies läßt sich mit Abaelards doppelter Prädestinationslehre nur schwer vereinbaren. An ihr hält er ebenso fest wie am Gedanken vom Opfertod Christi, obwohl die selbsterworbene Gerechtigkeit des Menschen seinen Intentionen am meisten entsprochen haben dürfte. Man merkte bald, daß er Augustins Erbsündenlehre nicht ganz übernahm, und klagte ihn deswegen auch als Häretiker in diesen Fragen an. Man warf ihm vor, er lehre, der freie Willen genüge »von sich aus zu etwas Gutem«, und wir hätten »nicht die Schuld aus Adam übernommen, sondern allein die Strafe«[8]. In der Tat waren von Abaelard im Gegensatz zu Anselm *die Gewichte auf die Seite des Menschen gelegt* worden. Trotz der Übernahme traditioneller Formeln konnte er schlecht verbergen, daß der Gedanke einer Weitergabe einer Urschuld auf natürlichem Weg, nämlich die sexuelle Begierde, nicht seine Zustimmung fand. Deswegen sprach er lieber von einer Strafe, die alle trifft[9], und polemisierte gegen die juridische Fassung der Gerechtigkeit Gottes bei Anselm. Abaelard trat dafür ein, die Liebe der Gerechtigkeit Gottes überzuordnen, so daß Christus nicht erst den Zorn Gottes besänftigen mußte. Gott konnte die Sünde aus freien Stücken vergeben. Wenn trotzdem Christus sich für uns dahingab, dann deswegen, weil Liebe Gegenliebe hervorruft, »und wer da liebt ..., dem werden die Sünden vergeben«[10].

Obwohl Abaelards Gedanken nicht vorwiegend mit der Rechtfertigungslehre befaßt waren[11], hat er mit seinen Hinweisen doch mit dafür gesorgt, daß Anselms Fassung dieses Problems nicht zur allein herrschenden werden konnte. Geschichtlich wirksam werden zumeist nicht die einseitigen Entwürfe. So erging es auch Anselms und Abaelards Lehren: Weder die formalisiert logische Theorie des einen noch die dem Handeln des Menschen breiten Raum einräumende Lehre des anderen konnte sich durchsetzen. Sehr viel mehr in die Breite als sie wirkte *Petrus Lombardus* (ca. 1100–1160).

Petrus hat in seinem Sentenzenkommentar[12] nicht mehr den »intellektualistischen« Optimismus Anselms vertreten, sondern von prinzipiellen Erörterungen über Glaube und Wissen abgesehen.

---

[8] So geschehen im Jahre 1140, vgl. *Gross,* Bd. 3, S. 78.
[9] Gross nennt sie eine »Kollektivstrafentheorie« (Bd. 3, S. 73 und 78).
[10] *Harnack,* DG 3, S. 410.
[11] Vgl. über ihn den Artikel von *Rolf Peppermüller* in: TRE 1, 1977, S. 7–17.
[12] Er vermochte sich übrigens nicht sofort durchzusetzen, vgl. *Loofs,* DG, S. 430.

Er begnügte sich damit, die verschiedenen Traditionen aufzuzeigen und die Möglichkeiten ihrer Überwindung durch »combinatorische Zusammenstellung« darzustellen[13]. Dabei mußte sich die Rechtfertigungslehre als ein weites und geeignetes Feld erweisen.

Der Lombarde ging dabei wieder – im Gegensatz zu Abaelard – von einer Erbschuld aus, die auf jedem Menschen wegen Adams Sündenfall lastet. Diese Erbschuld ist die sexuelle Konkupiszenz, die den Menschen so stark bestimmt, daß er sich ihr nicht entziehen kann. Auch getaufte Christen sind von ihr nicht frei, so daß sie sie auf ihre Kinder übertragen, deren »Fleisch« nun wie das aller Menschen »befleckt und verdorben« ist. Der Mensch besitzt faktisch keine Freiheit zum Guten und ist abhängig von Gottes Erwählung[14].

Hier wird also von Abaelard wieder zurückgekehrt zur älteren Tradition. Auf den Gehorsam Christi wird verwiesen, der von Teufel, Sünde und Tod erlöste. Sein Tod ist ein »meritum« für uns – hier wird ein einziger Gedanke aus Anselms Theorie aufgegriffen. Anderes dagegen wird nicht übernommen. So wird z. B. wieder behauptet, daß Christus die Menschen vom Teufel loskaufte und daß der Teufel dabei getäuscht wurde, was Anselm und Abaelard abgelehnt hatten. Dagegen wird mit Letzterem auf die Liebe Christi als entscheidendes Motiv seines Todes verwiesen, durch die Gegenliebe hervorgerufen wird.

Petrus Lombardus hat die Tradition also nicht zu einer einheitlichen Lehre zusammenzuschmelzen verstanden. Es werden vielmehr verschiedene Strömungen – von voraugustinischen bis zu zeitgenössischen – kombiniert, durch die *eine mittlere Linie* angedeutet zu sein schien. Ein Abgleiten in Extreme wurde vermieden. Dadurch konnte dieses Werk für Jahrhunderte zu einem stoffreichen Studienbuch werden, das auch im Bereich der Rechtfertigungslehre wichtige Anregungen vermittelte. Aber deren »Entwicklung« konnte hier nicht stehenbleiben.

Lesevorschlag   *Ritschl* 1, S. 31–54.

Literaturhinweise   *Rudolf Hermann:* Anselms Lehre vom Werke Christi in ihrer bleibenden Bedeutung, in: Zeitschrift für systematische Theologie 1, 1923, S. 376–396. – *Leif Grane:* Peter Abaelard. Philosophie und Christentum im Mittelalter. Göttingen 1969, S. 93–120. – *Gross* 3, S. 11–169. – *Ders.:* Abälards Umdeutung des Erbsündendogmas, in: ZRGG 15, 1963, S. 14–33. – *Artur Michael Landgraf:*

[13] *Loofs*, DG, S. 429, und *Harnack*, DG 3, S. 413.
[14] *Gross*, Bd. 3, S. 150–154.

DG der Frühscholastik, 1. und 4. Teil, Regensburg 1952–1956. – *Edmund Schlink:* Anselm und Luther. Eine Studie über den Glaubensbegriff in Anselms Proslogion, in: Welt-Luthertum von heute. Anders Nygren gewidmet, Lund 1950, S. 269–293.

3.2 Thomas von Aquin (1225–1274) – Natur und Gnade

»Die Gnade hebt die Natur nicht auf, sondern vollendet sie« (vgl. Summa Theologica I q. I a. 8 ad 2)[15]. Dieser Grund-Satz des Thomas bringt das Grundschema seines theologischen Denkens zum Ausdruck, das auch seine Rechtfertigungslehre bestimmt: den *Zusammenhang von Vernunft und Offenbarung, von Wissen und Glauben, von menschlichem Tun und göttlichem Handeln*. Mit großem Optimismus geht der »engelgleiche Lehrer« (Doctor angelicus) die Aufgabe an, eine Darstellung der gesamten christlichen Lehre zu geben, die mit Hilfe der aristotelischen Logik erarbeitet wird.

Dabei verliert allerdings die Frage nach dem Heil jene zentrale Stellung, die sie bei Anselm besessen hatte. Sie wird als Teilproblem behandelt, wobei die Erörterungen so philosophisch geraten, daß zwar viele hypothetische Fragen nicht gescheut werden, die heilsgeschichtliche Begründung im Christusgeschehen aber kaum erwähnt wird. Dadurch drohen der persönliche Bezug des Verfassers zu seiner Darstellung und der existentielle Charakter dieser Theologie zu entschwinden. Wenn dennoch hier Thomas – und nur er als Vertreter der Hochscholastik – behandelt wird, so deswegen, weil seine Erörterungen von einer solchen Breite sind, daß sie immer wieder große Wirkungen gezeitigt haben. Außerdem versteht Thomas sich als Theologe – trotz Anwendung einer philosophischen Methode. Dies geht so weit, daß sich bei ihm Äußerungen finden, die die Gottheit Gottes, das Menschsein des Menschen und die Rechtfertigung als Heil so deutlich zum Ausdruck bringen, wie wir sie kaum bei anderen christlichen Theologen finden.

Ausgangspunkt ist, daß die Natur auf Gott zurückgeht, auf den, der zugleich auch rechtfertigt. Die von Gott im Urstand geschaf-

[15] Zum Verhältnis von Natur und Gnade vgl. auch *Bernhard Stoeckle O.S.B.:* »Gratia supponit naturam«. Geschichte und Analyse eines theologischen Axioms (Studia Anselmiana, Bd. 49), Rom 1962. Über Thomas siehe M.-D. Chenu OP, Das Werk des hl. Thomas v. Aquin (Die Deutsche Thomas-Ausgabe, 2. Ergänzungsband), Heidelberg und Graz 1960.

fene Natur – und hier zeigt sich sofort die thomasische Neigung zu Distinktionen – ist einzuteilen in Prinzipien, Eigenschaften und ein darüber hinausgehendes superadditum, die »Urgerechtigkeit«. Die Prinzipien der Natur, die diese konstituieren, und ihre Eigenschaften eignen jedem Menschen, während die hinzugegebene Urgerechtigkeit durch den Sündenfall Adams verloren ging.

Mit dieser Einteilung wird sichergestellt, daß der Mensch, wie er jetzt nach Adams Tat ist, nicht »weniger« Mensch ist als der Stammvater selber. *Die Sünde hat die Natur nicht zerstört.* Jeglicher manichäischer Pessimismus wird ausgeschaltet. Aber es gibt auch Unterschiede zwischen Adam vor dem Fall und dem sündigen Menschen. Das Wesentliche ist die Urgerechtigkeit, die dem Stammvater der Menschen aus Gnade von Gott zuteil wurde. Dadurch besaß er eine so gute Erkenntnis, daß er nichts Falsches für wahr halten konnte. Seine Seele besaß die Kraft, den Leib zu bestimmen, d. h., die niederen Triebe und Teile des Menschen waren den höheren untergeordnet und die höheren wurden nicht von den niederen behindert. Es bestand eine klare Rang- und Kräfteordnung: Gott – Vernunft – Seele – Leib. Letzterer war unsterblich und leidensunfähig.

Diese Vollkommenheit ging durch den Sündenfall verloren. Gott entzog dem Menschen die Urgerechtigkeit, und die Herrschaft der Vernunft über Seele und Leib sowie der Seele über den Leib verschwand. Jetzt wird der Mensch von Begehrlichkeit beherrscht, »die die Grenzen der Vernunft überschreitet« und die deswegen »contra naturam« ist[16]. Diese Begehrlichkeit – concupiscentia – ist nicht an sich schlecht, sie wird es aber dort, wo sie die schöpfungsmäßige Stufenordnung zerstört. Das ist im Sünder stets der Fall. Thomas spricht von »peccatum naturae«, die formaliter im Mangel der iustitia originalis und materialiter in der Herrschaft der Konkupiszenz besteht.

Diese Natursünde wird von Adam her vererbt. Sie wird deswegen auch »Erbsünde« genannt[17], wobei der Aquinate sich fragt, wie die Übertragung zustande kommt. Im Gefolge Augustins verweist er auf die »Inkorporation«: Wir waren alle in Adam, als er sündigte. Jeder Mensch ist darum als Mensch in die Erbsünde hineingestellt. Aber es kommt auch noch die Zeugung hinzu, durch die die Erbschuld weitergegeben wird. Die in ihr wir-

---

16 *Harnack*, DG 3, S. 639ff. Anm. 1.

17 Auf den habitus-Begriff (die Erbsünde als ein »verdorbener Habitus«) soll hier nicht eingegangen werden. Vgl. dazu *Otto Hermann Pesch OP:* Theologie der Rechtfertigung bei Martin Luther und Thomas von Aquin. Versuch eines systematisch-theologischen Dialogs (Walberberger Studien, Bd. 4), Mainz 1967, S. 406f. und öfter.

kende Begierde trage den Zusammenhang mit der Ursünde Adams weiter. Auch hier steht Thomas deutlich unter dem Einfluß Augustins.

Die Folge der Erbsünde sei *die Neigung des Menschen zur Tatsünde.* Der Wille werde nun von der Konkupiszenz bestimmt. Aber auch der Verstand leide unter Adams Tat: er werde verdunkelt. Schwäche, Unwissenheit, Bosheit und Begehrlichkeit beherrschen nun den Menschen. Demnach kann die Konkupiszenz sowohl als das Materialelement der Erbsünde wie auch als eine der Folgen der Erbsünde bezeichnet werden – diese Unschärfe hat der Aquinate wegen der verschiedenen Traditionen, die er zu verbinden sucht, und trotz seines Hangs zu formaler Klärung nicht zu vermeiden gemocht. Wenn er auch noch den Verlust der göttlichen Gnade als Strafe für die Erbsünde bezeichnet, dann stehen wir bereits an der Stelle, wo seine Lehre von der Sünde zu der vom Heil übergeht.

Ausgangspunkt ist die *Taufe. Durch sie* werde *die Schuld getilgt und die Gnade Gottes zurückgegeben.* Dem Christen wird wieder Gerechtigkeit zuteil. *Aber das Materialelement, nämlich die Begierde, bleibe.* Es bleibt als »fomes«, als Zunder, zurück, wodurch der Christ immer wieder in Sünden hineingeraten könne. Auch wird die Unordnung im Menschen nicht wieder beseitigt, so daß nach wie vor statt der Vernunft oder der Seele der Leib mit seinen Begierden bestimmend wirken könne. Aber die Konkupiszenz sei nicht mehr ganz so enthemmt wie im Ungetauften. Die »Natur« leidet also doch unter der Sünde. Sie bleibt Schöpfung, verliert aber die gottgewollte Harmonie. Den augustinischen Pessimismus vermeidet Thomas lediglich dadurch, daß er die Willensfreiheit auch des Sünders behauptet. Während Augustin die Freiheit des gefallenen Menschen faktisch verneint hatte, indem er sie nur als Freiheit zum Sündigen verstehen wollte (Enchiridion Kap. 30), behauptet der Aquinate die *sittliche Wahlfreiheit des Menschen,* und zwar auch des Ungetauften.

Natur und Gnade sind also stets füreinander bestimmt und aufeinander angelegt. Man kann sogar »die Gnade als Ziel der Natur« bezeichnen[18]. Dies geht auf Gottes Bestimmung zurück, durch die beide zwar geschieden bleiben, zugleich aber die Hinordnung des Menschen (der Natur) zu Gott – durch die Gnade – festgelegt erscheint. Thomas kann so deutlich von Gott als dem Geber sprechen, daß alles als sein Geschenk angesehen werden muß. Aber seine vornehmste und herausgehobene Gabe ist die Gnade. Ihre Verbindung mit der Natur steigert auch deren Wert:

18 *Pesch,* S. 520.

»Natur *hat* nicht nur, sie *ist* Fähigkeit zur Gnade.«[19] Das Aufeinander- und Füreinander-Angelegtsein von Natur und Gnade erweist *die Rechtfertigung als »eine Schöpfungswirklichkeit«:* Bereits bei der Erschaffung des Menschen war Gott als dessen Ziel so klar definiert, daß es keines neuen Heilswillens Gottes in Christus bedurfte. Vielmehr konnte es nur darum gehen, daß sich Gottes »Schöpferwille gegen den rebellischen Menschen« durchsetzte[20]. Wie vermochte sich unter diesen Voraussetzungen Rechtfertigung zu vollziehen?

Thomas betont, daß *in der Rechtfertigung des Sünders* nur das zum Ziel kommt, was *Gottes ewige Absicht mit dem Menschen* war. Die Frage nach der »Gerechtigkeit« Gottes konnte deswegen – im Gegensatz zu Anselm – völlig zurücktreten. Zwar erörtert auch der Aquinate das Verhältnis von Gottes Gerechtigkeit zu seiner Barmherzigkeit[21], aber dies bleibt im Rahmen seiner logischen Begriffserklärungen und hat so wenig unmittelbaren Einfluß auf die Rechtfertigungslehre wie die Erörterungen über Christus. Wichtiger ist, daß *Gnade* als das definiert wird, *wodurch wir Gott angenehm sind* – daß die Gnade umsonst gegeben wird (woran Augustin alles gelegen war), tritt zurück. Es geht in der Rechtfertigung – wie in der schöpfungsmäßigen Anlage – darum, daß die Gemeinschaft mit Gott hergestellt wird. Welchen Anteil aber hat das Geschöpf an dem Erreichen dieses Zieles?

Die Antwort darauf lautet, daß *Gott allein Ursache der Gnade* sei. Dies wird mit folgendem Gedankengang begründet: da das Wesen der Gnade die Gewährung der Teilhabe an der göttlichen Natur sei, da Gott aber allein diese Teilhabe gewähren könne, müsse er auch allein Ursache der Gnade sein. Damit erscheint das Heil als allein von Gott abhängig, ja alles geht in einem solchen Maße auf den Schöpfer zurück, daß sogar von einer Bestimmung aller Dinge durch ihn (»Determinismus«) gesprochen werden kann[22]. Deswegen tritt der eigene Anteil des Menschen, das »facere quod in se est«, zurück. Denn auch in dem, was man selber tut, müsse Gott als der eigentliche Beweger angesehen werden. Aber *trotzdem wird der Anteil des Menschen nicht bestritten:* der Mensch wird wirklich aktiv, sein Wille bereitet sich auf die Gnade vor – aber letztlich bewegt von Gott.

Diese theozentrische Betrachtungsweise wird aber nun in Frage gestellt, wenn es heißt, es sei Sünde des Menschen, sich nicht auf

19 *Pesch*, S. 523.
20 *Pesch*, S. 526.
21 *Holl* 3, S. 183f.
22 *Loofs*, DG, S. 454.

die Gnade vorzubereiten. Offenbar ist *der Mensch frei zur Sünde* – obwohl Ursache der Gnade allein Gott ist. Die Freiheit des Willens wird (wie schon gesagt) nicht bestritten. Sie erweist sich aber als eine Freiheit zum Bösen. Wieso dieser Freiheitsraum bestehen kann, da Gott doch die Natur auf Gnade angelegt, da er sich selber zum Ziel des Menschen gemacht hat, wird nicht geklärt. *Die Wirksamkeit der Gnade wird nicht als absolut gedacht*, der Durchsetzungwille Gottes nicht als alles Menschliche überwindend geglaubt.

Die Rechtfertigung des Sünders wird mit der *Vergebung der Sünde* identifiziert. Diese vollzieht sich durch die – sakramental vermittelt gedachte – *Eingießung der Gnade*, durch die Wendung des Willens zu Gott, durch die Abkehr von der Sünde und durch »die Erreichung des Zieles«, d. h. durch die vollzogene Rechtfertigung. Das Geschehen der Rechtfertigung wird also als ein Vorgang gedacht, der grundsätzlich von der Gnade Gottes bestimmt erscheint[23]. Dem Handeln seines Erlösers stimmt der Mensch zu. Aber dies ist nicht Voraussetzung für Gottes Gnade, »sondern deren Wirkung«[24]. Dennoch wird der Anteil des Menschen als ein wirklicher Beitrag zur Rechtfertigung verstanden. Der Gerechtfertigte soll im Rechtfertigungsgeschehen nämlich nicht als bloßes Objekt erscheinen. Daß dadurch aber der sich durchsetzende Wille Gottes als merkwürdig gebrochen erscheint, läßt sich unschwer erkennen.

Neben die Aussage von der Rechtfertigung aus Gnade tritt bei Thomas auch die von der Rechtfertigung aus Glauben. Der Glaube wird nicht als menschliches Werk, sondern als Gottes Tat interpretiert, als Manifestation von Gottes Gnade im Menschen. Deswegen widersprechen sich beide Sätze nicht, sondern ergänzen sich. Aber auch hier wird die Beteiligung des Menschen betont; dabei liegt der Anfang des Glaubens nicht im Intellekt, sondern im Willen, der sich Gott zuwendet, wodurch der Mensch dann auch Gott erkenntnismäßig zustimmt. Die »Form« des Glaubens ist aber die Liebe, so daß die Formel »fides caritate formata« großes Gewicht erhält. Es kann deswegen dann auch heißen, daß die *Rechtfertigung aus der Liebe* komme, wobei der Begriff der Liebe den des Glaubens einschließt, während dies beim Glaubensbegriff nicht der Fall ist (es gibt auch eine »fides informis«)[25]. Wir stoßen also auf eine Fülle von Formeln: Rechtfertigung aus Gnade – aus Glauben – aus Liebe. Diese Pleropho-

---

[23] Pesch hat deswegen vom »Primat der Gnade« gesprochen (S. 678).
[24] *Pesch*, S. 683.
[25] *Seeberg*, DG 3, S. 474f.

rie vermag aber auch Bedenken hervorzurufen, wenn man trotz aller Rückführung der Rechtfertigung auf Gott feststellt, daß Thomas (wie Augustin) den Begriff »meritum« nicht vermieden hat. *Was kann der Mensch »verdienen«, wenn alles zuletzt auf Gott zurückgeht?*

Thomas betont, daß keiner die Rechtfertigung verdienen kann. Sie gründet nämlich auf der Gnade. Aber der Mensch kann sich die *Vermehrung dieser Gnade durch sein Tun* verdienen. Auch der Doctor angelicus verzichtet also nicht auf die Verwendung des Begriffs »meritum« in bezug auf die Rechtfertigung. Zwar betont er, daß der Mensch die »prima gratia« nicht von sich aus erreichen kann, nämlich die Hilfe Gottes, durch die er uns zu sich zieht. Aber neben dieser zuvorkommenden Gnade, die auch gratia operans genannt werden kann, steht die gratia cooperans, die dem Menschen hilft, Liebe zu üben und dadurch merita zu erwerben. Zwar hat Thomas die Frage, ob es das »meritum de condigno« – ein Vollkommenheitsverdienst – oder nur ein »meritum de congruo«, das Gott von sich aus als angemessen akzeptiert, durch Uminterpretation faktisch unbeantwortet gelassen: Dies hänge davon ab, ob man vom freien Willen oder von der Prädestination her urteile[26]. Aber man hat gemeint, feststellen zu können, daß der Nachdruck nicht auf dem Glauben, sondern auf den Tugenden, nicht auf der Gnade, sondern auf der Moral liege, weil die vollkommene Rechtfertigung nicht allein durch die Gnade, sondern nur durch die Liebe erreicht werde, die – allerdings – von der Gnade unterstützt wird[27]. Diese Deutung ist bestritten und die Ethik als eine theologische Ethik hingestellt worden[28]. Dies dürfte zutreffend sein. Dennoch muß man fragen, ob dadurch das *»Doppelgesicht« der thomasischen Rechtfertigungslehre*[29] beseitigt wird, ob nicht vielmehr die »Ontologie einer menschlichen Heilssuche« entwickelt wird[30], deren Ziel der »Überstieg ins Übernatürliche« ist. Dieses schöpfungsgemäße Fortschreiten läßt den paulinischen Gegensatz von Gesetz und Evangelium verschwimmen, so daß letzteres geradezu zu einer nova lex wird. Hinzu kommt, daß dieses Konzept des Weges von der Natur zur Übernatur durch die Rechtfertigung entwickelt wird, obwohl der Begriff der Natur unscharf bleibt, da diese so-

---

[26] *Loofs*, DG, S. 453.

[27] *Harnack*, DG 3, S. 621f.

[28] *Pesch*, S. 404f. und öfter.

[29] *Loofs*, DG, S. 453.

[30] *Hans Vorster:* Das Freiheitsverständnis bei Thomas von Aquin und Martin Luther (Kirche und Konfession, Bd. 8), Göttingen 1965, S. 392; auch zit. bei *J. Baur*, S. 42.

wohl als unversehrte Schöpfung wie auch als durch die Sünde belastet hingestellt werden kann[31]. Es konnte deswegen von den verschiedensten Theologen die eine oder die andere der thomasischen Aussagereihen aufgegriffen und weitergegeben werden.

Lesevorschlag   *J. Baur*, S. 42–44.

Literaturhinweise   *Johannes Auer:* Die menschliche Willensfreiheit im Lehrsystem des Thomas von Aquin und Johannes Duns Scotus, München 1938. – *Gross* 3, S. 229–267. – *Horst Kasten:* Taufe und Rechtfertigung bei Thomas von Aquin und Martin Luther (Forschungen zur Geschichte und Lehre des Protestantismus, 10. Reihe, Bd. 41), München 1970. – *Ulrich Kühn:* Via caritatis. Theologie des Gesetzes bei Thomas von Aquin (Kirche und Konfession, Bd. 9), Göttingen 1965. – *Ders.:* Die Rechtfertigungslehre des Thomas von Aquin in evangelischer Sicht, in: Ulrich Kühn / Otto H. Pesch OP: Rechtfertigung im Gespräch zwischen Thomas von Aquin und Luther, Berlin 1967, S. 9–36. – *Otto Hermann Pesch OP:* Theologie der Rechtfertigung bei Martin Luther und Thomas von Aquin. Versuch eines systematisch-theologischen Dialogs (Walberberger Studien, Bd. 4), Mainz 1967. – *Stephanus Pfürtner OP:* Luther und Thomas im Gespräch. Unser Heil zwischen Gewißheit und Gefährdung (Thomas im Gespräch, H. 5), Heidelberg 1961. – *Hans Vorster:* Das Freiheitsverständnis bei Thomas von Aquin und Martin Luther (Kirche und Konfession, Bd. 8), Göttingen 1965.

3.3 Die Spätscholastik (14. und 15. Jahrhundert) – Gnade und Verdienst

Bereits Zeitgenossen des Aquinaten hatten dessen Thema der Theologie: »Von Gott zu Gott durch die Gnade«[32] so nicht mehr akzeptiert. Sie legten Wert auf die Handlungen des Menschen und meinten: »Ohne Verdienste etwas zu hoffen, kann nicht Hoffnung, sondern nur Vermutung genannt werden.«[33] Um die theologische Tugend der Hoffnung zu erlangen, galt es gute Werke zu tun, wobei Gott den annimmt, der tut, was in seinen Kräften steht. Dieses »*facere quod in se est*« wurde zu einem wesentlichen Bestandteil des Rechtfertigungsgeschehens. Das Verdienst des Menschen konnte als Voraussetzung für die Gewährung der göttlichen Gnade angesehen werden – die gratia praeveniens Augustins wäre damit geleugnet gewesen. Da die Autorität des

---

31 *J. Baur*, S. 44 und 36.
32 *Harnack*, DG 3, S. 621.
33 Ein Satz des Alexander von Hales; zit. bei *Seeberg*, DG 3, S. 783 Anm. 2.

Bischofs von Hippo aber unbestritten war, galt es, seine Meinung mit den eigenen Anschauungen in Einklang zu bringen, die vom Pelagianismus beeinflußt waren.

Am weitesten hat hier *Johannes Duns Scotus* (gest. 1308) geführt, der eigentlich noch zur Hochscholastik gehört, der aber hier zu nennen ist, weil seine Rechtfertigungslehre für die Theologie des 14. und 15. Jahrhunderts von großer Bedeutung wurde. Duns geht nicht mehr von der Einheit von Vernunft und Glaube aus, *läßt das Spekulative hinter dem Praktischen zurücktreten und richtet sein Interesse auf den Willen – und zwar in Gott wie im Menschen.* Dabei sind seine Überlegungen nicht weniger anspruchsvoll als die des Thomas, häufig sogar noch komplizierter, was ihm den Beinamen »Doctor subtilis« eintrug. Duns entwickelt ein Gottesbild, das unmittelbare Konsequenzen für die Rechtfertigungslehre besitzt. Er erklärt nämlich, *Gott sei an keine Norm gebunden* und besitze vollkommene Macht. Was er als »gut« bezeichne, sei es auch. Nur weil Gott seine Macht begrenzt und sich bindet, weil neben die »potentia absoluta« die »potentia ordinata« tritt, können die Menschen seinen Weltplan erkennen. Dadurch wird nicht etwa das Monstrum eines Willkürgottes erfunden, sondern es wird die Absolutheit des Schöpfers betont, die nur von ihm selbst begrenzt werden kann[34].

Neben die freie Macht Gottes tritt nun unvermittelt die *Freiheit des Menschen*: Die Ursache seines Wollens liegt nur im Willen und sonst nichts. Weder die Objekte noch die Vernunft bestimmen den Willen des Menschen. Deswegen hat man von einem »doppelten skotistischen Voluntarismus« gesprochen[35], der Augustinismus und Pelagianismus miteinander verbinde: Während Gottes Wille die Prädestination im augustinischen Sinne bewirkt, hängt vom Menschen her sein Heil von seinem eigenen Tun ab – wie dies schon Pelagius erklärt hatte. Wie läßt sich das miteinander vereinen?

Duns geht davon aus, daß es Erbsünde gibt und daß diese formaliter im Mangel der Urgerechtigkeit und materialiter in der Konkupiszenz besteht. Er wiederholt damit also die Lehre des Thomas. Aber zugleich schwächt er die *Begierde* ab, indem er sie *als »Neigung« interpretiert*, die aber so schwach sei, daß der Wille trotzdem frei bleibe. Von einem non posse non peccare kann keine Rede sein! Es ist die Erbsünde also eher eine Schuld, die vererbt wird bzw. ein Anklagezustand, in den die Menschen vor

---

34 *Leif Grane:* Contra Gabrielem. Luthers Auseinandersetzung mit Gabriel Biel in der Disputatio Contra Scholasticam Theologiam 1517, Gyldendal 1962, S. 71.
35 *Seeberg,* DG 3, S. 771.

Gott geraten, weil sie die Urgerechtigkeit haben sollten, aber nicht haben. Eine Zerstörung der Natur ist durch die Erbsünde aber keinesfalls eingetreten.

Von hier aus hätte unschwer ein reiner Pelagianismus entwickelt werden können. Aber dieser »Irrtum« war ja verdammt worden, welchem Urteil Johannes Duns Scotus sich beugt – wie er überhaupt in strengem Positivismus die Lehren der Kirche übernimmt. Deswegen erklärt der Doctor subtilis, daß *der gefallene Mensch trotz seiner Freiheit der Gnade bedürfe.* Gott könnte sich zwar mit dem begnügen, was der Sünder vermag, aber er akzeptiert nur, was durch Gnade bewirkt wird. Diese *Akzeptationstheorie,* die aus dem Willen Gottes die Notwendigkeit der Gnade ableitet, begrenzt die sonst grundsätzlich optimistischen Aussagen über die Fähigkeiten des Menschen. Wie ereignet sich dann Rechtfertigung, wenn Gnade und Verdienst zusammengehören?

Duns spricht darüber am ausführlichsten bei der Behandlung des Bußsakramentes. Die Reue, die der Mensch über seine Sünden empfindet, sind ein meritum de congruo, durch das die Rechtfertigung erworben wird. Zwar ist letzte Ursache dieses Geschehens Gottes Wille, der dies so geordnet hat, aber dies verhindert nicht die Aussage, daß der Mensch seine Rechtfertigung selbst schafft. Sie besteht in der Eingießung der Gnade und in der Sündenvergebung, wobei erstere eine wirkliche Veränderung bewirkt, weil etwas gegeben wird, was vorher nicht da war, während die Sündenvergebung nur den Anklagezustand beseitigt, in den der Mensch als Sünder versetzt war. Die Veränderung, die die Gnade hervorruft, besteht in der Gerechtigkeit, die durch den Sündenfall verloren ging, nun aber von neuem gewährt wird. *Die Rechtfertigung wird* also *durch den Menschen begründet, von Gott aber dann durch Vergebung der Schuld und Mitteilung der Gerechtigkeit vollzogen.* Trotzdem hat man von Neo-Pelagianismus gesprochen, weil die Erbsünde nur als die fehlende Gerechtigkeit und die Schuld, die dadurch entsteht, bezeichnet wird, so daß die Natur des Menschen als heil bezeichnet werden kann[36].

Auf diesem Weg ist der Nominalismus[37] fortgeschritten. Sein wichtigster Vertreter *Wilhelm von Ockham* ist der Überzeugung, daß *der Mensch das Gute ohne die Gnade vollbringen kann.* Seine Natur sei durch die Sünde nicht geschwächt oder gar unfähig

---

36 *Loofs,* DG 3, S. 507.
37 Diese Bezeichnung geht darauf zurück, daß die Begriffe nicht platonisch als real bestehend, sondern nur als Namen angesehen wurden.

zum Guten. Die Sünde sei keine Realität – eine res – sondern ein Begriff – ein nomen. Der Mensch könne sich sogar die theologischen Tugenden Glaube, Hoffnung und Liebe aus eigener Kraft aneignen. Zwar habe Gott festgelegt, daß die Gnade zur Seligkeit erforderlich sei. Aber das liege an der von ihm festgesetzten Ordnung, nicht am zu geringen Vermögen des Menschen. Die Lehre von der Macht Gottes und die Akzeptationstheorie heben die Aussagen von den merita de congruo nicht auf, die der Mensch von sich aus tun kann. Die Gnade, die dann hinzukommt, ermöglicht es sogar, Vollkommenheitsverdienste zu erwerben (merita de condigno), durch die man die Seligkeit erwirbt. Dem stimmt *Gabriel Biel* zu, mit dessen Theologie sich Martin Luther scharf auseinandergesetzt hat[38]. Hier wird die *völlige Freiheit des Sünders* betont und seine *Fähigkeit zu allen guten Werken – bis hin zur Gottesliebe.* Der Anteil Gottes am Geschehen der Rechtfertigung wird reduziert auf die Nichtanrechnung der Sündenstrafe und die gratia infusa, die durch die Sakramente gegeben wird. Die göttliche Hilfe – auxilium gratiae – hat keine zentrale Bedeutung für die Rechtfertigung. An ihre Stelle rückt das verdienstliche Tun des Menschen, das die Eingießung der Gnade ermöglicht. Verdienstlich ist aber das, was der Mensch aus seiner ganzen Kraft heraus getan hat.

Dies wird auch nicht durch die Prädestinationslehre relativiert. Zwar vertreten die Nominalisten die Bestimmung des Menschen zum Heil durch Gott, aber dies wird faktisch nicht durchgehalten, wenn Ockham erwägt, ob immer Gottes Gnadenwille die Ursache der Erwählung sei oder ob nicht auch menschliche Werke als Ursache dafür angesehen werden können, und wenn er zu dem Ergebnis kommt, daß letzteres durchaus der Fall sei. Deswegen verwundert es nicht, wenn Biel die Konsequenz zieht, Gott werde allen Menschen helfen – man dürfe sich ihm nur nicht verschließen. Damit wird *faktisch die Prädestinationslehre aufgegeben.* An ihre Stelle tritt die Betonung der menschlichen Freiheit. In deren Macht liegt es, sich dem Guten zuzuwenden und dadurch die Voraussetzung für das Heil selbst zu schaffen.

Die Augustinisten des späten Mittelalters, allen voran Gregor von Rimini, haben diese Rechtfertigungslehre abgelehnt und bekämpft. Von Augustin waren sie gewohnt, die Erbsünde des Menschen und die Bedeutung der göttlichen Gnade zu betonen. Die Erbsünde ist nach ihrer Meinung nicht nur ein Anklagezustand, sondern eine Belastung des Menschen, die in der Konkupiszenz besteht und den Menschen immer wieder zu Taten der

---

38 Vgl. *Grane:* Contra Gabrielem.

Begierde lockt. Die Konkupiszenz wird durch die geschlechtliche libido bei der Zeugung weitergegeben. Sie belastet den Menschen in seinem Innersten, in dem, was ihn zur Person macht[39]. Dies ist gut augustinisch gedacht – und alle Bedenken, die sich gegen diese Interpretation der concupiscentia beim Bischof von Hippo erheben, sind auch hier zu machen.

Von den augustinischen Theologen des Spätmittelalters wird aber immerhin eine Alternative zur nominalistischen Theologie, die als modern empfunden und bezeichnet wurde, geboten. Nach Gregor kann der Mensch die Gnade nicht von sich aus erwerben. Er kann keine Verdienste erbringen, keine Anfangsverdienste und schon gar keine merita de condigno. Der Sünder kann sich vielleicht eine kurze Zeit lang so im Zaum halten, daß er nichts Böses tut. Aber sogar wo er Werke tut, die gut zu sein scheinen, sind sie doch Sünden, weil Gott nur anerkennt, was durch seine Gnade zustande kommt. Dabei wird die allgemeine Hilfe Gottes von seiner speziellen unterschieden, durch die allein Heil gewirkt werde. Auch der Gerechtfertigte, der von Gott Angenommene, benötigt die Zuwendung dessen, der ihn errettete. Neben die gratia operans oder praeveniens tritt also die gratia cooperans. Dies soll, so heißt es, die Freiheit des Menschen nicht einschränken, die also im Gegensatz zu Augustin hier behauptet wird. Dagegen wird *die Erwählung zum Heil allein auf Gott zurückgeführt*. Er hat auch nicht prädestiniert, weil er vorhersah, was der betreffende Mensch tun wird, sondern er hat frei entschieden, wem er das ewige Leben geben wollte.

Auch *in der spätmittelalterlichen deutschen Mystik* wurde nach Rechtfertigung, Sünde und Gnade gefragt. Aber hier spielen diese Probleme keine so große Rolle wie im Augustinismus, Nominalismus oder Thomismus. Wenn es Meister Eckehart um die *Geburt Gottes in der Seele des Menschen* geht, dann wird zwar auf überkommene Begriffe wie Erbsünde zurückgegriffen, aber des differenzierten scholastischen Begriffsapparates bedient er sich nicht. Es genügt ihm festzustellen, daß der unerlöste Mensch durch die Erbsünde belastet ist und daß er zu seiner Rettung der Befreiung von der Macht des Sinnlichen und der äußeren Welt bedarf. Dies geschieht, indem die Natur vollendet wird, sie von ihrem Eigenwillen läßt und mit Gottes Willen übereinstimmt. Dazu verhilft die Gnade. Sie erleuchtet die Seele und vergeistigt sie[40].

Auch diese Tradition hat ihre Wirkungen gehabt. Zu schwereren

---

39 *Gross* 3, S. 299–301.
40 *Seeberg*, DG 3, S. 688–691.

Auseinandersetzungen mußte allerdings die nominalistische Rechtfertigungslehre herausfordern, da ihre Aussagen neue Akzente setzten, die mit dem Augustinismus unvereinbar schienen, der sonst im Abendland weithin zur Geltung gekommen war. Nicht zuletzt sollte dies durch die Reformation geschehen, die an der Frage nach der Gerechtigkeit und Güte Gottes aufbrach.

Lesevorschlag *Harnack*, DG 3, S. 644–654.

Literaturhinweise *Heinrich Bornkamm:* Iustitia dei in der Scholastik und bei Luther, in: Schriften des Vereins für Reformationsgeschichte 188, 1975, S. 95–115. – *Werner Dettloff O.F.M.:* Die Lehre von der acceptatio Divina bei Johannes Duns Scotus mit besonderer Berücksichtigung der Rechtfertigungslehre (Franziskanische Forschungen, 10. H.), Werl 1954. – *Ders.:* Die Entwicklung der Akzeptations- und Verdienstlehre von Duns Scotus bis Luther mit besonderer Berücksichtigung der Franziskanertheologen (Beiträge zur Geschichte der Philosophie und Theologie des Mittelalters, Bd. 40, H. 2), Münster/Westf. 1964. – *Wilhelm Ernst:* Gott und Mensch am Vorabend der Reformation. Eine Untersuchung zur Moralphilosophie und -theologie bei Gabriel Biel (Erfurter Theologische Studien, Bd. 28), Leipzig 1972. – *Leif Grane:* Contra Gabrielem. Luthers Auseinandersetzung mit Gabriel Biel in der Disputatio Contra Scholasticam Theologiam 1517 (Acta Theologica Danica, Bd. 4), Gyldendal 1962. – *Gross 3*, S. 330–360. – *Bengt Hägglund:* Voraussetzungen der Rechtfertigungslehre Luthers in der spätmittelalterlichen Theologie, in: LR 11, 1961, S. 28–55. – *Erwin Iserloh:* Gnade und Eucharistie in der philosophischen Theologie des Wilhelm von Ockham. Ihre Bedeutung für die Ursachen der Reformation (Veröffentlichungen des Instituts für Europäische Geschichte Mainz, Bd. 8), Wiesbaden 1956, S. 44–133. – *Heiko Augustinus Oberman:* Spätscholastik und Reformation, Bd. I, Zürich 1965. – *Wolfhart Pannenberg:* Die Prädestinationslehre des Duns Skotus im Zusammenhang der scholastischen Lehrentwicklung (Forschungen zur Kirchen- und Dogmengeschichte, Bd. 4), Göttingen 1954.

4 Betonung der Rechtfertigungslehre – Reformationszeit

4.1 Luther und die reformatorische Theologie – Gnade und Glaube

Martin Luther sah *die Gottheit Gottes* dort als *gefährdet* an, *wo eine Selbsterlösung des Menschen für möglich gehalten wurde.* Denn dies hätte letztlich die Sendung Jesu Christi, die Menschwerdung des Gottessohnes, unnötig gemacht. Soll die Versöhnung, die Christus bewirkte, sinnvoll sein, muß sie für alle Menschen gelten.

Daraus folgt, daß die Sünde nicht als harmlos, sondern als verderblich angesehen werden muß. Sie entfernt gerade dort von der Rechtfertigung, wo sie sich ihr aus eigener Macht nähert, wo also der Weg zum Heil vom Menschen gesucht und beschritten wird. Dieser Versuch erweist sich als Dokumentation des Sündenfalles: *Wie Gott sein wollen* (Gen 3,5) – *das ist das eigentliche Vergehen des Menschen.* Damit wird Gott nicht mehr als der anerkannt, der er ist: als der Allmächtige, der größer ist als alles, was denkbar ist, und der kleiner ist als alles, was wir uns vorstellen können, der »über und außer allem ist, was man nennen oder denken kann« (vgl. WA 26,339,39–340,2). An die Stelle des Vertrauens zu Gott treten der Unglaube und die Verachtung des Schöpfers. Das stete Bestreben des Menschen, Gottes Gottheit zu bestreiten, kann auch als »Konkupiszenz« bezeichnet werden. Aber diese Begierde ist nicht primär auf das Gebiet des Sexuellen gerichtet oder gar darauf beschränkt, sondern sie erweist sich als Protest gegen Gott, als »Verkrümmtsein« des Menschen in sich selbst. Sie dokumentiert sich in Eigenliebe, Stolz und Hochmut.

Diese *Realität der Sünde* und ihr großes Gewicht bleiben *dem natürlichen Menschen verborgen.* Er bedarf Gottes, um seine wahre Lage zu erkennen. Gott vollzieht dies durch das Gesetz. Dieses offenbart die Sünde und reißt den Schleier von der »Frömmigkeit« hinweg, die der Mensch erfand. Das religiöse

Tun des Menschen erweist sich dann als der grandiose Versuch, gerade im Bereich des Heiligen Gottes Heiligkeit nicht gelten zu lassen[1]. Gottes Gesetz öffnet aber dem Sünder die Augen. Es macht klar, daß die erstrebte Eigengerechtigkeit der subtilste Angriff gegen Gott ist und daß dieser Weg nur scheitern kann. Der *Gerechtigkeit Gottes kann* nicht Genüge getan, sie kann *nur geschenkt werden*: unter iustitia Dei ist nicht die iustitia Dei activa zu verstehen, durch die Gott fordert und straft, sondern die iustitia Dei passiva, durch die er vergibt.

Dies weiß der Mensch nicht durch sich selber. Er wird vielmehr durch das Evangelium von der Gnade Gottes befreit von seinen Selbsterlösungsversuchen und hingewiesen auf Jesus Christus, in dem die Gottesliebe ihren Ausdruck gefunden hat. Rechtfertigung sola gratia – allein durch die Gnade –, das ist der Anfang der Erkenntnis der Wege Gottes. Der Wittenberger Professor beruft sich hier auf Augustin[2] und vor allem auf Paulus. Seine Interpretation von Röm 1,17 ist eindeutig[3] und gegen alle Versuche gerichtet, die Sünde zu verharmlosen oder die Gnade Gottes gering zu achten. Dies gelingt nur, wo *Gesetz und Evangelium recht unterschieden* werden. Sie dürfen nicht vermischt, aber auch nicht getrennt werden. Wer – wie die Antinomisten – das Gesetz zu einer weltlichen Sache macht (»Dekalogus gehört aufs Rathaus!«), wer die Bußpredigt zu einer Aufgabe des Evangeliums erklärt, entkleidet dieses seines eindeutigen Zuspruchs, seines reinen Gnadencharakters[4]. Wer – wie Philipp Melanchthon – das Gesetz nicht nur für die weltliche Ordnung (»usus politicus legis«) und die Offenbarung der Sünde (»usus theologicus legis«) bestimmt erklärt, sondern es auch als Anleitung für den Christen ansieht (»tertius usus legis«), hebt die Trennung von Gesetz und Evangelium auf und droht, letzteres zu einer lex caritatis zu machen.

Wo Gesetz und Evangelium unterschieden werden – nach Luther

---

[1] Der Antichrist verbirgt sich und kämpft gegen Gott vor allem im Bereich der Kirche und der Frömmigkeit, vgl. *Gerhard Müller*: Martin Luther und das Papsttum, in: Das Papsttum in der Diskussion, hg. von Georg Denzler, Regensburg 1974, S. 86–90.

[2] Zur Frage des Einflusses Augustins auf den jungen Luther vgl. *Bernhard Lohse*: Die Bedeutung Augustins für den jungen Luther, in: KuD 11, 1965, S. 116–135.

[3] Vgl. *Holl*, S. 188.

[4] »Die antinomistische Scheidung von Gesetz und Evangelium führt zu einer Vermischung beider unter dem Namen ›Evangelium‹. Mit der Tiefe des Gesetzes geht dabei auch die Tiefe des Evangeliums verloren« (*Gerhard Ebeling* in: RGG 4, 514).

eine der schwierigsten theologischen Aufgaben[5] –, wo die Gnade als die alleinige Voraussetzung der Rechtfertigung erkannt und anerkannt ist, da erhebt sich die Frage, welche Folgerungen das zeitigt. Tritt an die Stelle der Sünde die Anerkennung Gottes, an die Stelle des Verkrümmtseins in sich selbst das Offensein gegenüber Gott und Mensch? Luther antwortet, daß der von Gott gerecht Gesprochene zugleich noch Sünder bleibe. Die fremde Gerechtigkeit, die dem Christen zugesagt ist, nämlich die Gerechtigkeit Christi, hebe die Sünde nicht auf. Solange der Mensch lebt, bleibe er auch als Gerechter Sünder. Wie ist dieses *»simul iustus, simul peccator«*[6] zu verstehen? Es meint nicht, daß der Christ aus zwei »Bereichen« besteht, einem – vielleicht höheren –, der gerecht, und einem – vielleicht niederen –, der sündig sei. Wer die Gerechtigkeit mit dem Intellekt und die Sünde mit der Sinnlichkeit verbände, ginge fehl. Die »Koexistenz von Sünde und Gerechtigkeit« meint vielmehr, daß »der ganze Mensch zugleich ganz Sünder und ganz gerecht« ist[7]. Aber: Totus homo iustus – totus homo peccator: ist dies nicht ein Widerspruch in sich selbst?

Wenn diese Aussage ein ontologischer Befund wäre, der die Qualität des Menschen bezeichnete, wäre sie unhaltbar. Aber es geht Luther auch nicht um Form und Materie, um Akt und Sein oder Substanz und Qualität. Ihm liegt vielmehr daran, *den Menschen coram Deo und coram mundo* zu charakterisieren: Vor Gott ist der Gerechtgesprochene ganz und gar gerecht, vor der Welt und sich selber ist er dagegen ganz und gar Sünder[8]. An die Stelle der mittelalterlichen (und antiken) Kategorien tritt *eine Analyse unter dem Aspekt der Beziehung.*

Sie hat eine dialektische Aussage zur Folge, wie auch sonst ein dialektischer Grundzug durch Luthers Theologie hindurchgeht.

Allerdings hat Luther durchaus auch seinsmäßige Aussagen vorgetragen. So spricht er davon, daß der Gerechtfertigte »Sünder in der Wirklichkeit, Gerechter in der Hoffnung« sei (»peccator in re, iustus in spe«)[9]. Hier wird mit unmißverständlicher Klarheit die bleibende Bedeutung der Erbsünde ausgedrückt. Sie sei zwar vergeben, aber nicht hinweggenommen (vgl. WA 8,93,7–9). Des-

---

[5] Vgl. WA 36,29,32–38.
[6] Vgl. WA 2,497,13.
[7] *Pesch:* Die Rechtfertigungslehre Luthers in katholischer Sicht, in: *Ulrich Kühn / Otto H. Pesch OP:* Rechtfertigung im Gespräch zwischen Thomas und Luther, Berlin 1967, S. 54f.
[8] *Wilfried Joest:* Gesetz und Freiheit. Das Problem des Tertius usus legis bei Luther und die neutestamentliche Parainese, 4. Aufl., Göttingen 1968, S. 201, Anm. 56.
[9] Vgl. WA 39,I,298,5–11.

wegen bleibt die Begierde, wie Gott sein zu wollen und sich selbstmächtig zu behaupten, auch im Leben des Christen erhalten. Nur in der Hoffnung auf Gottes endzeitliches Handeln, wo die Sünde ihr endgültiges Ende finde, wisse und glaube sich der Christ als Gerechter. Aber er sei zugleich doch noch auf dem Weg zu diesem Ziel. Die Neuschöpfung Gottes habe jedoch bereits ihren Anfang genommen. Es gebe, so kann Luther sagen, eine »doppelte Gerechtigkeit«: die eine sei vollkommen, nämlich durch Gottes Anrechnung, die andere dagegen unvollkommen, weil sie aus unseren unvollkommenen Werken, »durch die Natur in uns« erwachse[10]. Wir gingen also fehl, wollten wir Luther unterstellen, der Hinweis auf Gottes Gnade lasse vom Tun des Christen völlig absehen. *Zwar ist das »sola gratia« das Fundament der Rechtfertigung, aber deren Konsequenz ist der Gehorsam gegen Gott und das Tun guter Werke.* Dabei gelingt es dem Christen, Fortschritte zu machen und sich von der Macht der Sünde mehr und mehr zu lösen.

Die Erkenntnis dieser Tatbestände ist nicht philosophischer Art. Ihr Ort ist deswegen auch nicht die Vernunft. Vielmehr werden diese Zusammenhänge erlebt und erfahren durch Gottes Wort, das durch Gesetz und Evangelium die Lage des Sünders offenbart. Der Ort dieser Erkenntnis ist das Gewissen. Der Glaube wagt es dann, die eigene Schuld zuzugeben und Gott das erforderliche Vertrauen zu erstatten. Wenn Luther nicht nur von Rechtfertigung sola gratia, sondern auch sola fide spricht, dann ist dieses Absehen von sich und das Hinblicken auf Jesus Christus, »den Anfänger und Vollender des Glaubens« (Hebr 12,2), gemeint. *Der Glaube gesteht Gott die Gottheit zu, die ihm eignet, und erkennt die eigene Sünde.* Das hat zur Folge, daß der Glaubende nicht auf sein Tun vertraut, denn die eigenen Werke haben sich ihm ja im Licht der Offenbarung als plumpe oder auch subtile Versuche gezeigt, das 1. Gebot – »Ich bin der Herr, dein Gott. Du sollst keine anderen Götter neben mir haben« – zu mißachten. Die Rechtfertigung wird als ein Vorgang bezeichnet, der »extra nos« geschieht – aber »pro nobis«, weil die fremde Gerechtigkeit dem Glaubenden zugeeignet wird.

Der Glaube vermag darüber hinaus Gott zu vertrauen – er ist nicht »fides historica«, die Geschehenes intellektuell ohne Einbezug der Gesamtperson für wahr hält, sondern »fiducia«: Zutrauen zu Gott und seiner Barmherzigkeit trotz der Sünde, die noch vorhanden ist. Das Vertrauen ist so groß, daß Luther von einer »certitudo fidei« sprechen kann: *Die Glaubensgewißheit*

[10] Vgl. WA 39,I,241,20–22.

bewirkt Heilsgewißheit. Das heißt, wer Gott vertraut, ist sicher, daß der Allmächtige sich an seine Zusage hält, daß er stets von neuem die Sünde vergibt, daß er die versprochene Seligkeit verleiht. Luther hat jede »securitas« scharf abgelehnt; jedes Streben nach säkularer Sicherung ist ihm Ausdruck jener Ursünde, ohne und gegen Gott sein zu wollen. Aber die Glaubensgewißheit vermag zu trösten und Halt zu verleihen, wo der Mensch von sich aus keine Hoffnung mehr hat. Der Glaube ermöglicht Hoffnung – der Zusammenhang dieser beiden »theologischen Tugenden« ist in Luthers Theologie offensichtlich.

Dasselbe gilt für den Zusammenhang von Glaube und Liebe. Die Scholastik hatte – wie wir sahen – die Liebe dem Glauben übergeordnet. Dort war die Liebe die »forma« des Glaubens. Luther dagegen erklärt, *der Glaube* sei *die »Form« der Liebe.* Liebe ist also nur dort, wo sie »Frucht des Glaubens«[11] ist. Umgekehrt aber kann der Glaube nicht ohne Liebe sein, denn ein Glaube, der ohne gute Werke bliebe, wäre tot und verdiente die Bezeichnung »fides« nicht. Im Grunde ist »Glaube« für Luther gar keine Tugend neben anderen mehr, sondern die Bezeichnung dafür, daß ich Gott recht gebe, wovon dann mein ganzes Leben und Tun abhängt. Er bringt das auf die knappe Formel: »Fides facit personam, persona facit opera, non opera fidem nec personam« (WA 39,I,283,18f.). Rechtfertigung sola fide meint also das Absehen von sich und die Hinwendung zur Gnade Gottes, die in Jesus Christus offenbar wurde. Rechtfertigung sola fide meint darüber hinaus, daß der Christ gerecht gesprochen und zugleich doch noch auf dem Weg zur Gerechtigkeit ist: »Es ist noch nicht getan und geschehen, es ist aber im Gang und Schwang. Es ist nicht das Ende, es ist aber der Weg« (vgl. WA 7,337,33–35). Rechtfertigung sola fide meint außerdem, daß an die Stelle des Sehens das Hören tritt, das Hören auf Gottes Wort[12].

Es wird nach Luther der Christ im Rechtfertigungsgeschehen also immer wieder von sich weg und auf Gott und Jesus Christus hingewiesen. Zwar würdigt Gott den Menschen, sein Mitarbeiter zu sein. Dies vollzieht sich in der Welt und auch im Glaubensleben. Aber für die Rechtfertigung selbst bleibt ein Mitwirken des Menschen ausgeschlossen. Sie ist Gottes eigenes Werk[13]. Dar-

---

[11] Vgl. WA 39,I,318,16f.

[12] *Wilfried Joest:* Ontologie der Person bei Luther, Göttingen 1967, S. 285 bis 298.

[13] *Martin Seils:* Der Gedanke vom Zusammenwirken Gottes und des Menschen in Luthers Theologie (Beiträge zur Förderung christlicher Theologie, 50. Bd.), Gütersloh 1962.

an hält Luther starr fest, weil nur die Rechtfertigung durch Gott allein die Heilsgewißheit zu begründen vermag. Würde der Mensch hier einen – noch so kleinen – Einfluß ausüben können, wäre die certitudo verloren. So aber bleibt das feste Vertrauen, daß der »fröhliche Wechsel« bestehen bleibt, der dadurch zustande kam, daß Christus meine Sünde auf sich nahm und mir seine Gerechtigkeit schenkte.

Der ältere Luther hat sich nicht nur scharf gegen die Werkgerechtigkeit, sondern auch gegen die Frömmigkeit jener Christen seiner Zeit abgegrenzt, die er »Schwärmer« zu nennen pflegte. Er meinte damit, daß hier ein »Christus in nobis« gepredigt werde, der nicht der neutestamentlichen Verkündigung gemäß sei. In Wahrheit griff man hier aber nur jene imitatio-Frömmigkeit auf, die uns schon im Spätmittelalter begegnet: Es kommt darauf an, daß Gott »in mir« lebendig ist. Luther betonte statt dessen den »Christus pro nobis«, weil ihm nur dadurch die Gewißheit des Heils verbürgt schien.

Man könnte annehmen, daß soteriologische Interessen von seiten des Menschen ausschlaggebend für diese theologischen Aussagen sind. Dann wäre der Wunsch der »Vater des Gedankens«, und das Ganze erwiese sich als ein anthropologisch bedingter Versuch, die Rechtfertigung zu Gunsten des Menschen festzulegen. Daß dem nicht so ist, geht daraus hervor, daß Luther die certitudo aus Gottes Prädestination und Allmacht ableitet. Gott ist allwirksam – im Leben der Welt, der Kirche und des einzelnen Menschen. Das hat die Unfreiheit des menschlichen Willens zur Folge. Wenn Gott allein wirkt, wie könnte dann noch eine Freiheit des Menschen Bestand haben? *Gottes Allmacht* – ein unaufgebbares Prädikat seiner Gottheit – *ist* also *die letzte Begründung für Luthers Rechtfertigungslehre.* Er hat im Hinblick auf die Prädestination vor allem die Erwählung zum Heil betont. Aber er wußte auch um den »verborgenen Gott«, der unfaßbar, ja verzehrend ist und von dem man nur zum »offenbaren« Gott, dem gepredigten und gekreuzigten, fliehen kann. Dennoch vermied er es, daraus eine »Theorie« zu machen, etwa eine Lehre von der doppelten Prädestination. *Theologie ist ihm nicht spekulativ und theoretisch, sondern praktisch*[14], nämlich Verkündigung von Gottes Wort an den Menschen.

Aber wie verträgt sich die Emphase, mit der Luther gegen Erasmus von Rotterdam den unfreien Willen vertritt, mit seiner Betonung der »Freiheit eines Christenmenschen«? Klar ist, daß

---

14 *Gerhard Müller:* Luthers Christusverständnis, in: Jesus Christus. Das Christusverständnis im Wandel der Zeiten. (Marburger Theologische Studien, Bd. 1), Marburg 1963, S. 41.

Luther *die Freiheit der Entscheidung* des Menschen *zwischen verschiedenen Möglichkeiten nicht bestreitet.* Er kann sagen, daß das, was unter ihm ist, in freier Entscheidung gebraucht werden kann. Aber er fügt sofort hinzu, daß auch dies – streng genommen – »durch den freien Willen Gottes« dorthin gelenkt wird, wohin es ihm gefällt (WA 18,638,4–9). Es geht ihm bei der Erörterung des unfreien Willens auch gar nicht um »Natur«, sondern um die Gnade: »Wir fragen nicht, wie beschaffen wir auf Erden sind, sondern wie beschaffen wir im Himmel vor Gott sind« (WA 18,781,6–8). Es steht also die Behauptung der Freiheit Gottes im Mittelpunkt, vor der eine menschliche Freiheit nicht bestehen kann. Nur der ist frei, der von Gott bestimmt und geleitet, dessen Wille von Gott *befreit* wurde. Es ist die Lehre vom unfreien Willen also *nicht* als *Determinismus* zu verstehen, dem zufolge alles unabhängig vom Menschen festliegt, sondern als der Versuch, den Menschen in keiner Täuschung zu belassen, sondern ihm seine Wirklichkeit schonungslos bloßzulegen.

In Luthers Rechtfertigungslehre geht es also um Gottes Gnade und den darauf vertrauenden Glauben des Menschen. Die menschliche Existenz wird aller ihrer natürlichen Sicherungen und Selbstrechtfertigungsversuche beraubt. Sie wird statt dessen auf den verwiesen, der die Sünde vergibt, lebendigen Glauben schenkt und der sich in seiner Gnade treu bleibt.

Dies ist von den anderen reformatorischen Theologen[15] ähnlich vertreten worden. Auch *Ulrich Zwingli* betont, daß die Gnade errettet, nicht aber menschliche Werke. Der Glaube ist Erfahrung und Vertrauen, nicht Meinung oder Wissen. Die Sünde, der »Riß« zwischen Gott und Mensch, vermochte nur durch Gott beseitigt zu werden, der dem Menschen keinen freien Willen zuerkennt, sondern das Heil allein von seiner Erwählung abhängig macht.

Auch *Philipp Melanchthon* vertritt die Unterwerfung des Menschen unter die Erbsünde. Der Sünder ist ohnmächtig zum Guten und angewiesen auf Gottes Gnade. Die Rechtfertigung geschieht allein durch Gott, der in seinem Gericht – »in foro coeli« – den Sünder gerecht spricht. Anders als Luther betont aber Melanchthon die pädagogische Bedeutung des Gesetzes für den Gerechtfertigten: Die lex Dei leitet an zum Guten (tertius usus legis). Dies ist möglich, weil durch die Rechtfertigung auch die

---

[15] Auf Luther wurde exemplarisch eingegangen. Die Lehre der übrigen Reformatoren und auch die Anschauung des Humanismus können hier nicht in derselben Breite dargestellt werden. Um des Raumes willen müssen einige Hinweise auf Zwingli, Melanchthon, Osiander und Calvin genügen.

schöpfungsmäßige Freiheit des menschlichen Willens wiederhergestellt wurde, die nun sittliches Handeln ermöglicht. Die Betonung der Rechtfertigung als eines forensischen Urteils läßt die
effektive Gerechtwerdung des Menschen zurücktreten. Diese
vollzieht sich eher unter dem Aspekt des dritten Brauches des
Gesetzes als unter der Dialektik von Sünde und Gerechtigkeit,
wie sie bei Luther festzustellen war.

Melanchthon wird hier offensichtlich von dem pädagogischen
Interesse geleitet, verständlich zu machen, wie sich die Rechtfertigung im Leben des Menschen zeigt. Er entwickelt viel mehr als
Luther ein *System*, eine Lehre, die mitgeteilt und plausibel gemacht werden kann. Mit der Aussage des forensischen Urteilens
durch Gott bewahrt er zwar eine Grundaussage Luthers, kann
aber nicht verhindern, daß bei seinen Schülern von einem Zusammenwirken von Gott und Mensch auch bei dem Vollzug der
Rechtfertigung gesprochen wird. Dadurch kommt es zu den
»synergistischen Streitigkeiten«, in denen hart um die Frage nach
dem »Mittun« des Menschen bei der Rechtfertigung gerungen
wird – es bleibt dieses Problem auch der lutherischen Orthodoxie
aufgegeben.

Anders als Melanchthon und seine Schüler, die von pädagogisch-
anthropologischen Motiven bewegt werden, geht *Andreas Osiander* vor. Er begründet die Rechtfertigung mit der Einwohnung
der göttlichen Natur Christi im Glaubenden. Zwar lehrt auch er
die Erbsünde, lehnt auch er die Werkgerechtigkeit ab. Aber die
Rechtfertigung, die durch den Glauben geschieht, bewirkt die
Einwohnung der Liebe im Menschen. Die Liebe aber ist Gott,
so daß er selber in den Gerechtfertigten Wohnung nimmt. Im
Glauben ist »die Art des ewigen Lebens abgebildet«[16], das
Eschaton ist gewissermaßen vorweggenommen. Es vollzieht sich
eine Gerechtmachung des *Wesens* des Menschen, die konstatiert
werden kann. Ihn bestimmt dabei das Anliegen, die Erneuerung
des Menschen zum Ausdruck zu bringen, der durch die Einwohnung Gottes dessen »Tempel« wird. Daß in dieser effektiven
Rechtfertigungslehre wesentliche Gedanken, die sich vor allem
beim jüngeren Luther finden, wiedergegeben werden, läßt sich
nicht bestreiten. Aber anderes tritt zurück oder verschwindet
ganz. Deswegen erhob sich von allen Seiten Widerspruch gegen

---

[16] So hat Osiander nicht erst in Königsberg, sondern während seiner gesamten
reformatorischen Wirksamkeit gelehrt, vgl. *Andreas Osiander d. Ä.*, Gesamt-
ausgabe, hg. von *Gerhard Müller*, Bd. 1, Gütersloh 1975, S. 117, 126f., 213, 279
und öfter.

Osiander[17]. Nicht nur die Melanchthonianer, sondern auch die »Gnesiolutheraner«, die das Erbe Luthers »echt« bewahren wollten, griffen Osiander an[18].

In diese Phalanx reihte sich auch *Johannes Calvin* ein. Nach seiner Meinung erhalten wir durch die Rechtfertigung zwar Anteil an Christi Gerechtigkeit, aber dies dürfe nicht zu einer Verwischung der Gegensätze zwischen Erlöser und Erlösten führen. Rechtfertigung und Heiligung gehören zusammen, aber letztere sei nicht die Voraussetzung, sondern die Folge des Heilshandeln Gottes. Da hierbei der Heilige Geist Beistand leistet, bleibe das Leben des Glaubenden nicht ohne Frucht, die dann wiederum von Gott belohnt werde. Zwar hatte auch Luther von Früchten des Glaubens und Verdiensten des Gerechtfertigten sprechen können. Aber beim Systematiker Calvin wird dies zu einer Theorie, die das Lutherische »simul« aufzuheben droht. Geschichtlich mindestens ebenso wirksam war aber seine doppelte Prädestinationslehre, durch die die Freiheit Gottes scharf herausgestellt wurde. Gott erwählt zum Heil und setzt dies auch durch. Seine Bestimmung des Menschen gründet nicht auf seinem Vorherwissen, sondern wurde bereits vor dem Sündenfall (»supralapsarisch«) festgelegt. Auf Gottes Wirken geht logischerweise auch die Verwerfung zurück, gegen die es keine Auflehnung oder Rettungsmöglichkeit des Menschen gibt. Diese Lehre sollte bald Anlaß zu heftigen Auseinandersetzungen werden.

Aber hier wie in den übrigen reformatorischen Theologien ist *die grundlegende Bedeutung von Gnade und Glaube stets betont worden. Rechtfertigung ist möglich, weil Gott sie gewährt. Im Vertrauen zu ihm wird dies erfaßt und die Möglichkeit eines neuen Lebens eröffnet.*

Lesevorschlag   *Erdmann Schott:* Einig in der Rechtfertigungslehre? Unter besonderer Berücksichtigung der Rechtfertigungslehre Luthers, in: LuJ 26, 1959, S. 2–12.

Literaturhinweise   Die entsprechenden Abschnitte in den Darstellungen der Theologie Luthers von *Paul Althaus*, 2. Aufl., Gütersloh 1963; *Friedrich Gogarten*, Tübingen 1967; *Rudolf Hermann*, Göttingen 1967; *Hans Joachim Iwand*, München 1974; *Lennart Pinoma*, Göttingen 1964, oder *Erich Seeberg*, Bd. 2, Stuttgart 1937, Nachdruck Darmstadt 1969.
Außerdem: *J. Baur*, S. 54–67. – *Peter Bläser:* Rechtfertigungsglaube bei Luther,

[17] Nur Johannes Brenz suchte zu vermitteln, vgl. *Martin Stupperich:* Osiander in Preußen 1549–1552 (Arbeiten zur Kirchengeschichte, Bd. 44), Berlin 1973, S. 266–270.
[18] Vgl. hierzu auch unten S. 119ff. den Abschnitt über die Rechtfertigungslehre in den lutherischen Bekenntnisschriften.

Münster/Westf. o. J. – *Gerhard Ebeling:* Luther. Einführung in sein Denken, Tübingen 1964. – *Ders.:* Lutherstudien, Bd. 1, Tübingen 1971. – *Gross* 4, S. 11 bis 72. – *Lauri Haikola:* Melanchthons und Luthers Lehre von der Rechtfertigung, in: Luther und Melanchthon, hg. v. Vilmos Vajta, Göttingen 1961, S. 89 bis 103. – *Hans Joachim Iwand:* Glaubensgerechtigkeit nach Luthers Lehre, 3. Aufl., München 1959. – *Ders.:* Rechtfertigungslehre und Christusglaube. Eine Untersuchung zur Systematik der Rechtfertigungslehre Luthers in ihren Anfängen, Leipzig 1930, Nachdruck Darmstadt 1961. – *Wilfried Joest:* Gesetz und Freiheit. Das Problem des Tertius usus legis bei Luther und die neutestamentliche Parainese, 4. Aufl., Göttingen 1968. – *Ders.:* Ontologie der Person bei Luther, Göttingen 1967. – *Reinhard Köster:* Luthers These »gerecht und Sünder« zugleich. Zu dem gleichnamigen Buch von Rudolf Hermann, in: Catholica 18, 1964, S. 48–77 und 193–217, sowie 19, 1965, S. 136–160 und 210 bis 224. – *Gottfried W. Locher:* Die Theologie Huldrych Zwinglis im Lichte seiner Christologie, 1. T. (Studien zur DG und systematischen Theologie, Bd. 1, 1. T.), Zürich 1952. – *Walther von Loewenich:* Duplex iustitia. Luthers Stellung zu einer Unionsformel des 16. Jahrhunderts (Veröffentlichungen des Instituts für Europäische Geschichte Mainz, Bd. 68), Wiesbaden 1972. – *Ders.:* Luthers theologia crucis, 5. Aufl., Witten 1967. – *Peter Manns:* Fides absoluta – fides incarnata. Zur Rechtfertigungslehre Luthers im Großen Galater-Kommentar, in: Reformata Reformanda. Festgabe für Hubert Jedin, 1. Teil, Münster/Westf. 1965, S. 265–312. – *Wilhelm Maurer:* Die Einheit der Theologie Luthers, in: ders.: Kirche und Geschichte. Gesammelte Aufsätze, Bd. I, Göttingen 1970, S. 11–21. – *Ole Modalsli:* Das Gericht nach den Werken. Ein Beitrag zu Luthers Lehre vom Gesetz (Forschungen zur Kirchen- und Dogmengeschichte, Bd. 13), Göttingen 1963. – *Wilhelm Niesel:* Die Theologie Calvins, 2. Aufl., München 1957. – *Heiko A. Oberman:* »Iustitia Christi« and »Iustitia Dei«: Luther and the Scholastic Doctrines of Justification, in: The Harvard Theological Review 59, 1966, S. 1–26; deutsche Übersetzung in: Der Durchbruch der reformatorischen Erkenntnis bei Luther, hg. von *Bernhard Lohse* (Wege der Forschung, Bd. 123), Darmstadt 1968, S. 413–444. – *Otto Hermann Pesch* OP: Theologie der Rechtfertigung bei Martin Luther und Thomas von Aquin (vgl. Lit. zu 3.2!). – *Ders.:* Die Rechtfertigungslehre Luthers in katholischer Sicht, in: Ulrich Kühn / Otto H. Pesch OP: Rechtfertigung im Gespräch zwischen Thomas und Luther, Berlin 1967, S. 45–78. – *Albrecht Peters:* Glaube und Werk. Luthers Rechtfertigungslehre im Lichte der Heiligen Schrift (Arbeiten zur Geschichte und Theologie des Luthertums, Bd. 8), 2. Aufl., Berlin und Hamburg 1967. – *Ders.:* Reformatorische Rechtfertigungsbotschaft zwischen tridentinischer Rechtfertigungslehre und gegenwärtigem evangelischem Verständnis der Rechtfertigung, in: LuJ 31, 1964, S. 77–128. – *Robert Stupperich:* Die Rechtfertigungslehre bei Luther und Melanchthon 1530–1536, in: Luther und Melanchthon, S. 73–88. – *Willems*, S. 1–34.

4.2 Die protestantische Orthodoxie –
Gnade und Heiligung

Auch in der protestantischen Orthodoxie, in der man sich in der Zeit um 1600 um die Klärung und Festigung der evangelischen Lehre mühte, wurde die *Bedeutung der Gnade für das Recht-fertigungsgeschehen* betont: Gottes Zuwendung ist die notwendige Voraussetzung dafür, daß Versöhnung und Heil zustande kommen können. Der Klärungsprozeß wurde durch die Verwendung neuer Kategorien bzw. durch die Wiederaufnahme älterer Begriffe erreicht und führte zu einer *Differenzierung der Lehre,* die in einem »ordo salutis« entfaltet wurde. Es konnte auch nicht vermieden werden, daß Kritik an der reformatorischen Botschaft laut wurde, so daß neue Streitigkeiten, und zwar besonders über die Prädestinationslehre, entstanden.

Ausgangspunkt der orthodoxen Theologen ist aber, daß der Mensch durch den Sündenfall die unmittelbare Verbindung zu Gott verlor, die ihm im Urstand zuteil geworden war, und daß ihn nun *sittliches Verderben* belastet. Die Ursünde, die die ersten Menschen begingen, rief Gottes Zorn hervor, der alle Menschen trifft, weil sie »in Adam« alle gegenwärtig waren – hier wird Augustins Interpretation von Röm 5,12 also wiederholt. Das »peccatum originale« bewirkte den Entzug der ursprünglichen Gerechtigkeit, die Gott geschuldet wird, und die Hinneigung zum Bösen. Dies alles hat die Natur des Menschen nicht verändert, aber doch stark belastet.

Denn aus der Erbsünde folgen die »peccata actualia«. Sie wenden sich gegen Gott und sein Gesetz und zerstören die mitmenschliche Gemeinschaft, zu der der Mensch im Urstand fähig war. Diese *Tatsünden* werden klassifiziert, wobei auch wieder die altkirchliche und scholastische Unterscheidung in verzeihliche Sünden und Todsünden auftaucht. Bei diesen Differenzierungen droht die Unmittelbarkeit der Gottesbeziehung verloren zu gehen, die mit den reformatorischen Aussagen über Sünde und Gnade verbunden war. In bezug auf den menschlichen Willen wird dessen Schwächung durch die Sünde behauptet, grundsätzlich aber daran festgehalten, daß dessen Freiheit nach wie vor vorhanden sei: Kein Mensch könne gegen seinen Willen zu irgendwelchen Handlungen veranlaßt werden. Nur in den geistlichen Dingen sei er unfrei, so daß er nicht einmal in der Lage sei, das Heil zu begehren. *Freiheit* bestehe nur *zum Bösen oder in allen äußeren Dingen.*

Darum sei *Rechtfertigung* nur möglich *durch das Werk Jesu*

Christi, dem sich der Christ im Glauben zuwende, so daß der Glaube geradezu als Mittel zur Erlangung der Rechtfertigung bezeichnet werden kann. Was aber ist *Glaube?* Er ist – so heißt es – 1. Kenntnis der Heilsbotschaft (»notitia«), 2. Zustimmung zu dem, was hier verkündet wird (»assensus«), und 3. Vertrauen auf Christus (»fiducia«). Alle drei Momente gehören zusammen, wenn wirklich von Glaube, nämlich von »fides explicita«, gesprochen werden soll. Eine »fides implicita«, die darin besteht, seine generelle Zustimmung zu dem zu geben, was die Kirche glaubt, wird – im Gegensatz zum Katholizismus – nicht akzeptiert. Glaube muß explizit im Sinne der drei genannten Bestandteile und darüber hinaus wirklich persönlich sein. Nur so, als fides specialis, rechtfertigt er. Hier wird also die zentrale Stellung des Glaubens aufrecht erhalten, die ihm durch die Reformation eingeräumt worden war. Es wird auch betont, daß er *ein Werk Gottes im Menschen* sei. Aber die Aufgliederung der fides konnte leicht zu einer Rationalisierung führen und dann doch den Glauben zu einem theologischen Thema neben anderen machen.

Daß dies keine müßige Erwägung ist, wird deutlich, wenn man hört, welche Wirkungen der Heilige Geist im Menschen hervorrufen soll. Es werden genannt: Berufung, Erleuchtung, Umkehr, Wiedergeburt, mystische Einheit des Glaubenden mit Gott, Heiligung und gute Werke. Wo Glaube ist, geschieht Rechtfertigung, und wo Rechtfertigung geschieht, lassen sich diese Wirkungen des Heiligen Geistes feststellen, so daß der Glaube geradezu lediglich als Voraussetzung für ein umfangreiches Handeln Gottes am Menschen verstanden werden kann. Zwar werden diese Wirkungen nicht als streng aufeinander folgend beschrieben. Sie werden auch stets mit der Rechtfertigung in Zusammenhang gebracht, aber die Akzente verlagern sich doch jetzt[19]. *Nicht mehr auf Gott, der handelt, ist der Blick gerichtet, sondern auch auf das, was im Gerechtfertigten vor sich geht*[20].

Jedoch bemüht man sich, bei der Beschreibung der Rechtfertigung die Erkenntnisse der Reformation zu bewahren. Es wird hierunter die Aufhebung des göttlichen Strafurteils verstanden, das wegen der Erbsünde galt. Gott spricht in der Rechtfertigung den Sünder frei von seiner Schuld (»remissio peccatorum«) und rechnet ihm Christi Verdienst an (»imputatio iustitiae«). Die Vergebung der Sünden, die Anrechnung des Verdienstes Christi

[19] *Hans Emil Weber:* Reformation, Orthodoxie und Rationalismus, 2. T. (Beiträge zur Förderung christlicher Theologie, 2. R., 51. Bd.), Gütersloh 1951, S. 1ff.
[20] *J. Baur,* S. 74.

und die Versöhnung mit Gott werden als die Wirkungen der Rechtfertigung bezeichnet.

Es wird auch betont, daß sie nie ein Werk des Menschen sein könne, daß dessen Rechtfertigung aus eigener Kraft und auch seine Mitwirkung ausgeschlossen bleiben müßten. Wo eine sittliche Umwandlung vor sich gehe, sei sie nicht Voraussetzung oder gar Bedingung, sondern Folge oder Begleiterscheinung der Rechtfertigung. Es wird also *eine Rechtfertigungslehre sola gratia per fidem propter Christum* vertreten, allerdings das sanative Moment, das Martin Luther mit der Rechtfertigung verknüpft hatte, in deren Folge verlegt, so daß hier wieder die juridische Deutung der Rechtfertigung begegnet, die Melanchthon betont hatte. Gerade angesichts der verschiedenen »Wirkungen« des Heiligen Geistes im Gerechtfertigten droht damit die Rechtfertigung in verschiedene, und zwar mindestens zwei Akte auseinanderzufallen, nämlich in das Gerechtgesprochenwerden und die Heiligung.

Diese *Heiligung* ist *ein lebenslanger Vorgang*, durch den der Christ der Sünde stirbt und der Gerechtigkeit lebt. Daß damit Luthers »simul iustus et peccator« eigentlich hätte aufgegeben werden müssen, liegt auf der Hand. Festgehalten aber wird, daß gute Werke keine Voraussetzung für die Rechtfertigung sein können, da nur das, was letztlich auf Gott selbst zurückgeht, von ihm anerkannt werden könne. Was Nichtchristen, was Ungerechtfertigte tun, kann deswegen nicht als gut bezeichnet werden, mag es auch den äußeren Anschein des Akzeptablen oder gar Hervorragenden erwecken. Aber der Gerechtfertigte wird sich um gute Werke mühen, um dadurch seinen Gnadenstand zu erweisen. Er vollbringt nämlich nun mit innerer Zustimmung das, was Gott fordert und was der Sünder lediglich aus Zwang tat. Gute Werke werden auch deswegen vom Gerechtfertigten reichlich erbracht, weil er davon einen Lohn Gottes erwarten kann, der zwar lediglich ein Gnadenlohn sei – weil Gott ja der eigentliche Beweger im Gerechtfertigten sei –, der aber trotzdem als »meritum« bezeichnet wird.

Es konnte nicht ausbleiben, daß man sich in den *Niederlanden,* wo neben reformierten auch täuferische und liberale Einflüsse vorhanden waren, an dem *Theozentrismus dieser Rechtfertigungslehre* stieß, der trotz aller Veränderungen an der reformatorischen Theologie vorhanden geblieben war. Er kam am deutlichsten in der Prädestinationslehre zum Ausdruck, und zwar in ihrer supralapsarischen Gestalt, der zufolge Gott bereits mit der Schöpfung Sündenfall und Erlösung beschlossen hatte, weil sonst – wie es jetzt hieß – angenommen werden müsse, Gott habe den Menschen geschaffen, ohne ihm ein sicheres Ziel zu setzen[21]. Das hieße dann aber, daß auch die Verwerfung von Menschen auf Gott zurückgehe. *Diese doppelte Prädestination stieß auf Widerspruch.*

Man berief sich darauf, daß Gottes Gnade allen Menschen gelte und daß deren Annahme oder Ablehnung und damit Heil oder Unheil allein auf den freien Willen des Menschen zurückzuführen seien. Folgerichtigerweise wurde die Erbsündenlehre gemildert und eine gratia irresistibilis strikt verworfen. Statt dessen wurde auf Bekehrung, Wiedergeburt und Heiligung Wert gelegt. Nicht auf Lehren komme es an, auf theologische »Richtigkeit«, sondern auf *Früchte des Glaubens.*

Die Vertreter dieser Lehre – nach einem ihrer Begründer, Jacobus Arminius, »Arminianer« genannt[22] – betonten, daß die Rechtfertigung nicht imputativ, sondern real verstanden werden müsse, da durch die Sünde eine reale Beeinflussung des Menschen erfolgt sei. Christus wird als Arzt verstanden, der heilt und der durch die von ihm verkündigte Wahrheit Haß gegen das Böse und Liebe zum Guten weckt. Nur dadurch werde die Sünde besiegt, aber nicht durch eine bloß »zugerechnete« Gerechtigkeit. Vielmehr werde *der Christ wirklich erneuert*, was sich nicht in einem lange währenden Prozeß vollziehe, der vielleicht erst im Eschaton vollendet werde, sondern was sich hier in der Rechtfertigung ereigne. Dadurch könne der Mensch geradezu »vollkommen« werden: Er könne ganz und gar von Sünden ablassen. Die Lehre von der doppelten Prädestination dagegen, wie sie im Gefolge Calvins vertreten wurde, mache Gott zum Urheber des Bösen und beraube den Menschen seiner Freiheit, da er ihn wie die unvernünftige Kreatur einer absoluten Notwendigkeit unterwerfe. Nicht alle Arminianer haben sich so scharf und konsequent geäußert. Aber gemeinsam war ihnen die Ablehnung der doppelten Prädestination, die Abschwächung der Erbsündenlehre und die Veränderung der Rechtfertigungslehre.

In ihrer »Remonstranz« von 1610, durch die sie sich gegen die Angriffe der strengen Calvinisten zu wehren versuchten, erklärten sie, Gott habe vor der Schöpfung der Welt beschlossen, alle zu retten, die an Christus glauben, und alle zu verdammen, die sich nicht bekehren. Der Gottessohn sei schließlich für alle Menschen gestorben. Zwar habe der Mensch den heilbringenden Glauben nicht von sich selber, er müsse vielmehr »von Gott in

[21] *Seeberg,* DG 4, S. 665.
[22] Vgl. *Otto Ritschl:* Die reformierte Theologie des 16. und 17. Jahrhunderts in ihrer Entstehung und Entwicklung (DG des Protestantismus, 3. Bd.), Göttingen 1926, S. 314ff.

Christus durch seinen Heiligen Geist« wiedergeboren werden, aber keinesfalls sei die Gnade, auf die alles Gute zurückgehe, unwiderstehlich. Sie könne auch durchaus verlorengehen – wenn der Mensch nicht entsprechend lebe[23].

Die Remonstranten wurden auf der *Dordrechter Synode* von 1618/19[24] verurteilt. Aber da die Antiarminianer nicht einhellig lehrten, wurde sowohl eine Verurteilung von Personen verhindert, als auch in mancher Beziehung eine mildere Lehrentscheidung gefällt, als den strengen Calvinisten lieb gewesen wäre. So wird zwar vertreten, daß alle Menschen durch die Sünde dem Tod verfallen seien, daß aber jeder, der an Christus glaubt, ewiges Leben habe. Es wird jedoch zugleich auch auf den Unglauben vieler Menschen verwiesen, die wegen Gottes Bestimmung nicht zum Glauben kämen. Diese »Erwählung« wird nicht auf Gottes Präszienz zurückgeführt, sondern auf seine freie Festlegung. Auch die Verwerfung geht also auf Gott zurück. Man vermeidet es aber, auf die Streitfrage einzugehen, ob Gottes Dekret supra- oder infralapsarisch zu verstehen sei. Indem jedoch der gefallene Mensch als der bezeichnet wird, dem Gottes Erwählung oder Verwerfung gilt, lehrt man faktisch infralapsarisch, d. h., Gott hat erst nach erfolgtem Sündenfall festgelegt, daß einige Sünder durch Christus erlöst werden sollen. Die Erwählten werden wirksam berufen, d. h., daß sie tatsächlich gerechtfertigt und wiedergeboren werden. Gott erhält sie dann in der Gnade; auch Abweichungen des Menschen vom rechten Weg vermögen nicht seine Bestimmung zum Heil hinfällig zu machen. Für den Glaubenden gilt es, den ihm zugesagten Verheißungen zu vertrauen und sich mit heiligem Eifer um ein gutes Gewissen und gute Werke zu bemühen. Die dem widersprechenden Lehren der Remonstranten werden abgelehnt.

Aber dieser Sieg konnte kein endgültiger bleiben. Die Ideen der Arminianer waren nicht durch einen Synodalbeschluß überwindbar. Neue Anstöße blieben nicht aus. Sie sollten wegführen von der Betonung des göttlichen Handelns als der unbedingt notwendigen Voraussetzung und die Möglichkeiten des Menschen unterstreichen, wobei der Gedanke der Heiligung den geradezu natürlichen Anknüpfungspunkt bilden konnte. Bevor dies ins Auge gefaßt werden kann, ist aber zunächst die römisch-katho-

---

[23] *Loofs*, DG, S. 936.
[24] An ihr nahmen nicht nur Niederländer, sondern auch Delegationen aus England, der Pfalz, der Schweiz, Hessen-Kassel, Nassau, Bremen und Emden teil; zur Synode vgl. *Gustav Adolf Benrath:* Die hessische Kirche und die Synode in Dordrecht (1618/19), in: Jahrbuch der Hessischen Kirchengeschichtlichen Vereinigung 20, 1969, 56–81.

lische Reaktion auf die reformatorische Rechtfertigungslehre zu
analysieren sowie die dort erfolgende Rückbesinnung auf Augustin, die der soeben beobachteten Entwicklung im Protestantismus konträr entgegensteht.

Lesevorschlag   *J. Baur*, S. 68–79.

Literaturhinweise   *Jörg Baur:* Die Vernunft zwischen Ontologie und Evangelium. Eine Untersuchung zur Theologie Johann Andreas Quenstedts, Gütersloh 1962. – *Ernst
Bizer:* Frühorthodoxie und Rationalismus (Theologische Studien, H. 71), Zürich 1963. – *Bengt Hägglund:* Rechtfertigung – Wiedergeburt – Erneuerung in
der nachreformatorischen Theologie, in: KuD 5, 1959, S. 318–337. – *Heinrich
Heppe – Ernst Bizer:* Die Dogmatik der evangelisch-reformierten Kirche, Neukirchen 1958. – *Jürgen Moltmann:* Prädestination und Perseveranz. Geschichte
und Bedeutung der reformierten Lehre »de perseverantia sanctorum« (Beiträge
zur Geschichte und Lehre der Reformierten Kirche, 12. Bd.), Neukirchen 1961,
S. 110–162. – *Otto Ritschl:* DG des Protestantismus, 3. und 4. Bd., Göttingen
1926/27. – *Heinrich Schmid:* Die Dogmatik der evangelisch-lutherischen Kirche, 2. Aufl., Erlangen 1847. – *Hans Emil Weber:* Reformation, Orthodoxie
und Rationalismus, 1. T. 2. H. und 2. T. (Beiträge zur Förderung christlicher
Theologie, 2. R., 45. und 51. Bd.), Gütersloh 1940 und 1951.

4.3 Die katholische Lehre vom 16. bis zum 18. Jahrhundert –
Gnade und Liebe

Am Dekret über die Rechtfertigung haben *die Konzilsväter in
Trient* vom 21. Juni 1546 bis zum 13. Januar 1547 gearbeitet –
dieses Dokument wurde also alles andere als rasch erstellt,
weil bekannt war, daß hier eine wichtige Streitfrage zu klären
war, in der es galt, die Positionen gegenüber den Protestanten
genau zu bestimmen. Aber auch innerhalb der römisch-katholischen Theologie bestanden Unterschiede, die zum Teil gravie-
rend waren, so daß es nicht verwundert, daß hart um Formulierungen gerungen wurde – eher kann es verwundern, daß eine
Einigung überhaupt erreicht wurde. Sie kam zustande, indem
Kompromisse geschlossen und Divergenzen umgangen wurden,
was noch heute Interpretationsdiskussionen hervorruft. Aber
gerade die Unschärfe der Formulierungen – die klare Grenzen
nicht ausschloß! – erlaubt es, die wichtigsten theologischen Traditionen zusammenzufassen und sie als »reine Lehre« weiterzu-
geben. Dadurch ist ein Dokument von hohem Rang zustande
gekommen, das in dogmatischer Hinsicht zweifelsohne das

wichtigste Ergebnis des Tridentinums bildet[25]. Seine Entstehung kann hier nicht skizziert werden. Wir wenden uns vielmehr dem offiziellen Text zu, in dem es um die Rechtfertigung, ihr Wachsen und ihre Wiedergewinnung geht.

Ausgangspunkt ist auch hier die Lehre von der Erbsünde. Bereits am 17. Juni 1546 hatten sich die Konsilväter dahingehend ausgesprochen, daß der erste Mensch Adam durch seine Sünde die ursprüngliche »Heiligkeit und Gerechtigkeit« verloren und sich »den Zorn und die Ungnade Gottes« zugezogen habe. Außerdem wurde festgelegt, daß dieses Vergehen nicht nur Adam getroffen habe, sondern alle Menschen, die seitdem den Tod und die Strafen des Leibes, aber auch die Sünde erleiden. Antipelagianisch wurde formuliert, wenn es hieß, daß sich die Sünde nicht durch Nachahmung, sondern »durch Fortpflanzung« vererbe. Aber es wurde doch vermieden, klar zu sagen, was sich am Menschen durch die Sünde »ins Schlimmere« (in deterius) verändert habe. Vielmehr wurde in bezug auf die getauften Christen gut mittelalterlich die Konkupiszenz als Zunder bezeichnet, den es zu bekämpfen und zu überwinden gilt. Der Antipelagianismus der Erbsündenlehre darf also nicht als Augustinismus angesehen werden, vielmehr interpretieren die Konzilsväter im Sinne jener mittelalterlichen Theologie, die die breiteste Zustimmung gefunden hatte.

Das gilt nun auch für die Rechtfertigungslehre. Hier wir sofort der Nominalismus abgelehnt, der die Rechtfertigung allein auf die Kräfte des Menschen zurückgeführt hatte. In Kap. 1 des Rechtfertigungsdekrets – man möchte sagen: grundlegend – wird das *Unvermögen der »Natur« und des »Gesetzes« zur Rechtfertigung* behauptet. Das bedeutet, daß sowohl die Heiden nicht von sich aus (mit Hilfe der »Natur«) selig werden können, als auch daß die Juden nicht mit Hilfe des Gesetzes von der »Gewalt des Teufels und des Todes« frei zu werden vermögen. Aber schon hier wurde zugleich auch die Freiheit des Willens behauptet, die durch die Sünde nicht ausgelöscht, sondern lediglich »verringert« worden sei – man muß also in demselben Kapitel eine Abwendung von pelagianisch-nominalistischen wie Lutherischen Lehren konstatieren!

Um *die Ermöglichung und die Wirklichkeit der Rechtfertigung*

---

[25] Das hat zu folgendem berühmten Urteil Harnacks geführt: »Das Decret über die Rechtfertigung, obgleich ein Kunstproduct, ist in vieler Hinsicht vortrefflich gearbeitet; ja man kann zweifeln, ob die Reformation sich entwickelt hätte, wenn dieses Decret auf dem Lateranconcil am Anfang des Jahrhunderts erlassen worden und wirklich in Fleisch und Blut der Kirche übergegangen wäre« (DG 3, S. 711).

geht es in den Kap. 2 und 3 – von den Konzilsvätern wurde also nicht nur der Rechtfertigungsvorgang im Menschen ins Auge gefaßt, sondern auch die durch Jesus Christus geschaffenen Voraussetzungen[26]. Es wird nämlich auf die durch den Gottessohn bewirkte Versöhnung hingewiesen, die er für die gesamte Menschheit geschaffen hat. Nur durch ihn, nicht aber durch den Menschen ist Rechtfertigung ermöglicht worden: Durch Christus erlangen die Heiden Gerechtigkeit und werden alle zu Söhnen Gottes »adoptiert«, wie es im Anschluß an Röm 9,30 und Gal 4,5 heißt. Aber wem gilt das Werk Christi? Hierzu heißt es in Kap. 3, daß nicht alle die Wohltat seines Todes erlangen, sondern nur die, denen »das Verdienst seines Leidens mitgeteilt wird«. Wer aber ist dies? Es ist der Wiedergeborene, dem durch dieses Verdienst »die Gnade zugeteilt wird«. Das Stichwort »gratia« fällt im Dekret an dieser Stelle zum erstenmal. Es bringt zum Ausdruck, daß *Gottes Güte die Voraussetzung zum Heil* ist. Wie sie allein die Sendung des Sohnes veranlaßte, so wird auch die Zueignung der Versöhnung auf einzelne Personen allein auf sie zurückgeführt. Die Gnade ist also die Voraussetzung der Rechtfertigung – die Frontstellung gegen die Protestanten hat nicht dazu geführt, die gratia praeveniens zu bestreiten. Dazu war die augustinische Tradition (auch auf dem Konzil!) zu stark[27].

Im wichtigen Kap. 4 wird die *»iustificatio impii«* – um eine solche handelt es sich! – beschrieben. Sie wird als eine Versetzung (»translatio«) aus dem Stand der Sünde in den »der Gnade und der Aufnahme unter die Söhne Gottes« bezeichnet. Was das heißt, wird nicht ausgeführt. Der Ausdruck translatio legt nahe, daß es sich um eine grundlegende Veränderung handelt, so daß aus dem »impius« durch die Rechtfertigung ein »pius« wird. Aber wichtiger als eine Klärung dieser Frage war den Konsilsvätern der Hinweis darauf, daß sich dies nicht ohne die Taufe oder wenigstens nicht ohne das Verlangen nach ihr ereignen könne: Die translatio wird demnach durch die regeneratio des Taufsakramentes bewirkt, wobei der Sünder, der gerettet werden will, die Taufe an sich durchführen lassen oder mindestens begehren muß. Damit sind zwei wesentliche Probleme angeschnitten worden, auf die man im Dekret zurückkommen wird.

Es wird nämlich sofort im nächsten Kapitel *festgestellt, daß der Mensch bei der Rechtfertigung zustimmen und mitwirken muß.* Zwar liegt der Anfang bei Gott: Die gratia praeveniens bildet

---

26 Darauf verweist *Willems*, S. 36.
27 Vgl. *Hubert Jedin*: Geschichte des Konzils von Trient, Bd. 2, Freiburg/Br. 1957, S. 139ff. und 201ff.

die Voraussetzung; die Berufung wird Menschen zuteil, die keine merita vorzuweisen haben. Aber durch die Gnade werden sie nun fähig, »sich zu ihrer eigenen Rechtfertigung zu bekehren« – von einer gratia irresistibilis kann also nicht gesprochen werden. Vielmehr könnte der Mensch »die Erleuchtung des Heiligen Geistes« abweisen. Es wird nochmals wiederholt, daß der Sünder nicht ohne Gott gerechtfertigt werden kann, aber es wird gleichzeitig auch herausgestellt, daß er dabei beteiligt sein muß. Es gehe nicht an, daß er in diesem Vorgang überhaupt nichts tue. Deswegen ist dieses Kapitel auch überschrieben: »Über die Notwendigkeit einer Vorbereitung auf die Rechtfertigung bei Erwachsenen und über ihren Ursprung.«[28] In Kap. 6 wird dann »die Art der Vorbereitung« geschildert: Wer als Erwachsener Christ werden, wer gerechtfertigt werden will, soll den Glauben, der aus dem Hören kommt (Röm 10,17), annehmen, sich Gott zuwenden und von Haß und Abscheu gegen die Sünde bewegt werden – eine solche Buße ist vor der Taufe erforderlich. Dann gilt es, sich taufen zu lassen, ein neues Leben zu beginnen und die göttlichen Gebote zu halten. Dies wird durch einige Bibelzitate untermauert, so daß ganz klar ist, daß die »translatio« von der Sünde zur Gerechtigkeit auf der gratia Dei gründet, daß der Mensch sich aber auf diesen Vorgang mit aller Kraft und allem Verlangen einstellen muß.

Das längste und wichtigste Kap. 7 antwortet dann auf die Frage, »was die Rechtfertigung des Sünders sei und welche Ursachen sie habe«. Ist nämlich die »praeparatio« vollzogen worden, dann folgt *die eigentliche Rechtfertigung.* Sie sei – so heißt es – *nicht allein »Vergebung der Sünden, sondern auch Heiligung und Erneuerung des inneren Menschen* durch die freiwillige Aufnahme der Gnade und der Gaben«. Rechtfertigung ist also nicht nur imputativ die Vergebung von Schuld, sondern bewirkt zugleich auch eine reale Veränderung im Menschen – eine Äußerung, die sich durchaus mit reformatorischen Aussagen vereinbaren läßt. Anders sieht die Sache dagegen aus, wenn man nach den »Ursachen« fragt. Hier werden nämlich scholastische Begriffe aufgenommen, wenn als »causa finalis« die Verherrlichung Gottes und Christi, als »causa efficiens« die Barmherzigkeit Gottes, als »causa meritoria« das Leiden Christi, als »causa instrumentalis« die Taufe und als »causa formalis« die Gerechtigkeit Gottes bezeichnet werden. Diese Differenzierung der Gründe zeigt, daß *das Rechtfertigungsgeschehen in einen großen heilsgeschichtlichen*

[28] Es wird hier von Erwachsenen gesprochen, die sich Gott zuwenden. Da die Kindertaufe eine allgemeine Voraussetzung war, muß an den Stellen, wo hier von der Taufe gesprochen wird, das Sakrament der Buße eintreten.

Zusammenhang eingeordnet wird. Damit wird dann die Veränderung im Menschen in eins gesehen, in den die Liebe zu Gott »ausgegossen« wird. Im Gerechtfertigten werden Glaube, Hoffnung und Liebe hervorgerufen, durch die er sich sündlos erhält, um so vor den Richterstuhl Christi treten und das ewige Leben erlangen zu können. Die Ursachen der Rechtfertigung haben also ihre klaren Folgen.

Es wäre möglich gewesen, hier die Darstellung dessen, was Rechtfertigung ist, zu beenden. Um aber den durch die Reformation hervorgerufenen aktuellen Fragen gerecht zu werden, wird nun noch mitgeteilt, wie die Formel »Rechtfertigung durch den Glauben und umsonst« zu verstehen sei, und in einem weiteren Kapitel wird die »fiducia« der Häretiker als eitel bezeichnet. Die Aussage, daß der Mensch »durch den Glauben« gerecht werde, wird so interpretiert, daß der Glaube »der Anfang des Heils, das Fundament und die Wurzel der ganzen Rechtfertigung« sei. »Umsonst gerechtfertigt werden« meine, daß weder Glaube noch Werke die Gnade der Rechtfertigung verdienen. *Das »sola fide« wird in Can. 9 dagegen ausdrücklich abgelehnt.* Damit werden deutliche Distanzierungen von der reformatorischen Botschaft ausgesprochen. Noch eindeutiger geschieht dies in Kap. 9, wo die Heilsgewißheit strikt verworfen wird. Die von Luther behauptete certitudo wird nicht akzeptiert, sondern erklärt, keiner könne wirklich sicher sein, daß er die Gnade Gottes »erlangt« habe. An dieser Stelle wurden die reformatorischen Intentionen kaum verstanden[29] und dem Gerechtfertigten die Sorge um sein Heil von neuem auferlegt.

In einem zweiten Teil des Dekretes, in den Kap. 10–13, geht es um *das Wachsen der erlangten Rechtfertigung.* Dies ereignet sich dort, wo Gottes Gebote gehalten werden. Darum hat sich der Gerechtfertigte zu bemühen. Keinesfalls darf er sich auf die »vermessene Annahme« einer Prädestination berufen; auch die göttliche Gabe der »perseverantia« kann nicht von der eigenen Mühe um Bewahrung und Fortschritt in der Rechtfertigung entbinden. Schließlich wird in den letzten Kapiteln (14–16) nach dem *Verlust der Gnade der Rechtfertigung, ihrer Wiederherstellung und den guten Werken* gefragt. Hier erhält das Sakrament der Buße seinen Ort: Wer nach der Taufe in Sünde fällt, vermag durch die Abkehr vom Bösen, Beichte, Absolution und Satisfaktion wieder die Translation in den Stand der Gnade zu erlangen. Nicht nur Unglaube, sondern auch Todsünden zer-

---

[29] *Peter Brunner:* Die Rechtfertigungslehre des Konzils von Trient, in: Pro veritate. Ein theologischer Dialog. Festgabe für Erzbischof Jaeger und Bischof Stählin, Münster und Kassel 1963, S. 81 Anm. 17.

stören diesen Stand, so daß man davon abstehen und sich guten Werken zuwenden soll. Wer dann in der Gnade stirbt, erlangt, ja verdient das ewige Leben und eine »Vermehrung der Herrlichkeit« (Can. 32).

Ein weiter Bogen umspannt also das Rechtfertigungsgeschehen. Er reicht von Gottes Grundlegung (der »causa formalis«) über den Vorgang, die Mehrung, den möglichen Verlust bis zur Wiedererlangung der iustificatio. *Der Blick ist auf das Ende gerichtet: Wer im Stand der Gnade stirbt, geht nicht verloren.* Darum gilt es, die Gnade zu bewahren. Dies geschieht durch die Liebe. Wo Liebe geübt wird, wo Verdienste erworben werden, da ist das Ziel nahe. Aber sicher kann niemand sein. Die Rechtfertigung erfolgt zwar aufgrund der eingegossenen Gnade, aber *die Gerechterklärung bleibt ein analytisches Urteil:* Gott stellt im Endgericht fest, in welchem Stand der Mensch verstarb, er rechnet nicht etwa dem Sünder die fremde Gerechtigkeit Christi zu (synthetisches Urteil!), wie dies die Reformation verkündigt hatte. Zum Glauben muß die Liebe hinzutreten. »Bloßes Vertrauen auf die Barmherzigkeit Gottes« wird abgelehnt (Can. 12 bis 14)[30]. Deswegen treten an die Stelle von Gnade und Glaube (so in der Reformation) Gnade und Liebe.

Dabei sollte es auch bleiben, als es in der zweiten Hälfte des 16. Jahrhunderts und im 17. Jahrhundert zu einer Rückbesinnung auf Augustin kam. Diese ist vor allem durch *Michael Bajus* († 1598) und *Cornelius Jansen* († 1638) vollzogen worden. Bajus griff auf Äußerungen des Thomas von Aquin zurück, wenn er lehrte, im Urstand habe die Gerechtigkeit des Menschen in den Tugenden bestanden, die Gottes Geist wirkte. Diese Gerechtigkeit war also nicht ein donum superadditum, sondern etwas, was zur Natur des Menschen hinzugehörte. Der Sündenfall hat dies zerstört: durch ihn ging die Gerechtigkeit verloren, lehnten sich die niederen Triebe gegen die höheren auf und entstand die Notwendigkeit zu sündigen. Nur durch Gottes Hilfe kann dieser Zwang hinweggenommen und die ursprüngliche Gerechtigkeit auf übernatürlichem Weg wiederhergestellt werden. Der Anteil Gottes wird betont: Zwar handelt er nicht ohne uns, aber der Mensch kann nur so viel leisten, wie Gott ihm geben will. Das gilt nun vor allem für die Rechtfertigung: Gott wirkt sie, nicht der Mensch. Gott handelt so, daß aus dem zum Bösen geneigten Willen ein zum Guten gewendeter wird.

Das bedeutet dann aber, *daß die Rechtfertigung zwar auf Gott*

---

[30] *Edmund Schlink:* Gesetz und Evangelium als kontroverstheologisches Problem, in: KuD 7, 1961, S. 30.

allein zurückgeht, daß aber auch wirklich das Gesetz erfüllt werden muß. Zur Gerechtigkeit gehören die guten Werke unabdingbar dazu. Bajus legt aber Wert darauf, daß am Anfang Gottes Gnade und der Glaube des Menschen stehen: nur durch sie wird der Mensch zu guten Werken getrieben, nicht aber durch das Gesetz, das Furcht und nicht Liebe hervorruft. Diese Äußerungen waren nicht neu und – gemessen an der augustinischen Tradition – auch nicht ungewöhnlich. Aber sie widersprachen dem ethischen Interesse der gleichzeitigen jesuitischen Theologie, in der den menschlichen Kräften ein weiter Raum gewährt worden war. Papst Pius V. verurteilte deswegen 1567 79 Sätze des Bajus, darunter auch solche, die augustinisch waren. Weil aber nur verurteilt und nicht zugleich mitgeteilt wurde, welche Lehre orthodox sei, mußte es zu neuen Kämpfen kommen.

Sie entstanden durch das postum erschienene Werk *Jansens,* der Bischof von Ypern gewesen war, das den Titel »Augustinus« trägt und in dem die Frucht einer jahrzehntelangen Beschäftigung mit dem großen Kirchenvater eingebracht worden war. Jansen polemisierte gegen die Herrschaft der Philosophie in der Theologie, die er nicht als deren Magd, sondern als »mater haereticorum« und »errorum« bezeichnet. Die Grenze der theologischen Erkenntnis zeige die Bibel auf – einer schrankenlosen Spekulation wird abgesagt. Besonders in der Gnadenlehre gelte es, nicht Neuerern, sondern Augustin zu folgen.

Jansen wiederholt nun die Lehren von Urstand und Sünde, die wir bei Bajus kennengelernt haben. Er legt Wert darauf zu klären, *wie der Mensch trotz der Sünde zum Guten kommen kann.* Seine Meinung ist, daß dies nur durch die Gnade möglich ist, die den Menschen heilt (»gratia medicinalis«). Sie bewirkt, daß das Gute gewollt wird; sie befreit den Willen von seiner Neigung zum Bösen und schenkt ihm Kraft zur Liebe. Nun wurde dies von den Jesuiten nicht bestritten, die Jansen bekämpft. Aber indem sie die Gnade zu einem »habitus« der Seele machten, was also als »Zustand« im Menschen verbleibt, obliegt es dem Menschen, sich dieses Habitus zu bedienen oder aber dies zu unterlassen. Der Augustinist meint, daß dies die Möglichkeit des Sünders übersteige: So frei sei der Mensch gar nicht! An seine Fähigkeiten und Kräfte zu appellieren, nütze nichts, weil er sich ohne Gott gar nicht zum Guten wenden könne. Deswegen müsse die Gnade als Wirkung verstanden werden, die in jedem Einzelfall den Willen des Menschen von der Liebe bestimmt sein läßt. An die Stelle der »gratia habitualis« tritt also eine »gratia actualis«. Die Gnade ist Siegerin, sie bewirkt ein »Wollen«, nicht ein »Können« im Menschen. *Selig wird nicht, wer dies selber will, sondern wen Gott selig machen will.* Indem der Wille neu gerichtet wird, wird er nicht unfrei, sondern bejaht dies und bleibt frei, so daß Gottes bestimmende Gnade und die menschliche Freiheit als zusammengehörig hingestellt werden. Hier werden die Alleinwirksamkeit Gottes, die Unwiderstehlichkeit der Gnade und die freiheitliche Verantwortung des Menschen zusammengedacht – ein Entwurf, der immer wieder Bewunderung gefunden hat, der aber nicht als offizielle Lehrmeinung Anerkennung fand. In den Jahren 1642 bis 1713 ergingen mehrere Urteile gegen Jansen und seine Schüler. Man wollte die Aussagen über die Unfähigkeit des Sünders zum Guten oder die Unwiderstehlichkeit der Gnade nicht akzeptieren. Der Glaube wurde zwar als »Same des Heils« anerkannt, aber festgestellt, daß er nicht ohne Liebe, Vertrauen und Hoffnung sein könne.

Deutete sich mit dieser Kritik die Wendung von der Theonomie zur Autonomie des Menschen an? Von der Sicht, in der Gott im Mittelpunkt gestanden hatte, zu jener, die vor allem auf den Menschen ihr Augenmerk richtete? Jedenfalls werden hier Tendenzen deutlich, denen sich auch der Protestantismus nicht entziehen konnte, ja in die er noch viel nachhaltiger als der Katholizismus hineingezogen werden sollte.

Lesevorschlag

Wilfried Joest: Die tridentinische Rechtfertigungslehre, in: KuD 9, 1963, S. 41 bis 69.

Literaturhinweise

Marvin W. Anderson: Trent and Justification (1546): A Prostestant Reflection, in: Scottish Journal of Theology 21, 1968, S. 385–406. – *Peter Brunner:* Die Rechtfertigungslehre des Konzils von Trient, in: Pro veritate. Ein theologischer Dialog. Festgabe für Erzbischof Jaeger und Bischof Stählin, Münster und Kassel 1963, S. 59–96. – *Gross* 4, S. 105–118. – Handbuch der Kirchengeschichte, hg. von Hubert Jedin, Bd. 4, Freiburg/Br. 1967, S. 562–573, und Bd. 5, ebd. 1970, S. 27–64 und 410–461. – *Hubert Jedin:* Geschichte des Konzils von Trient, Bd. 2, Freiburg/Br. 1957, S. 139ff. und 201ff. – *Heiko A. Oberman:* Das tridentinische Rechtfertigungsdekret im Lichte spätmittelalterlicher Theologie, in: ZThK 61, 1964, S. 251–282. – *Hanns Rückert:* Die Rechtfertigungslehre auf dem tridentinischen Konzil (Arbeiten zur Kirchengeschichte, Bd. 3), Bonn 1925. – *Ders.:* Promereri. Eine Studie zum tridentinischen Rechtfertigungsdekret als Antwort an H. A. Oberman, in: *ders.:* Vorträge und Aufsätze zur historischen Theologie, Tübingen 1972, S. 264–294. – *Adolf Stakemeier:* Das Konzil von Trient über die Heilsgewißheit, Heidelberg 1947. – *Eduard Stakemeier:* Glaube und Rechtfertigung. Das Mysterium der christlichen Rechtfertigung aus dem Glauben dargestellt nach den Verhandlungen und Lehrbestimmungen des Konzils von Trient, Freiburg 1937. – *J. Visser:* Zur Erlösungs- und Gnadenlehre, in: Internationale Kirchliche Zeitschrift 59, 1969, S. 278 bis 293. – *Willems,* S. 36–41.

5 Abwendung von der Rechtfertigungslehre – der Übergang zur Moderne

5.1 Der Pietismus – Wiedergeburt und Heiligung

Im Pietismus ging es *nicht* um *eine Veränderung der Lehre, sondern* um *deren* Bekanntmachung und *Verwirklichung im Leben.* Deswegen haben die pietistischen Theologen auch keine neue Rechtfertigungslehre vorgelegt, sondern sie sind von der konfessionellen Tradition ausgegangen, die sie vorfanden. Indem sie aber die bisherige Theologie kritisierten, weil es ihr nicht gelungen war, die Botschaft von der Gnade Gottes verständlich zu verkündigen, und weil sie die persönliche Beschäftigung mit der Bibel forderten und zu einer eigenen Glaubensentscheidung aufriefen, kam es doch zu mehr Veränderungen in der Lehre, als bei ihrem Ausgangspunkt anzunehmen war. Dies wurde dadurch verstärkt, daß in Kreisen, die von der Mystik beeinflußt waren, die forensische Interpretation der Rechtfertigung in der protestantischen Orthodoxie als ungenügend bezeichnet wurde. Man forderte dort, daß das innere Leben des Christen sich verändere. Das hatten die orthodoxen Theologen mit ihrem ordo salutis zwar auch gemeint. Weil sie die Rechtfertigung aber nur als Gottes Gerichtsspruch interpretiert hatten, konnte mancher Christ sich darauf berufen und alles andere, was folgen sollte, zurückstellen. Deswegen forderten im Widerspruch hierzu mystisch-spiritualistische Theologen die wesensmäßige Vereinigung zwischen Christus und dem Gerechtfertigten.

Pietistische Theologen wie Philipp Jacob Spener gingen dagegen von der *Rechtfertigung als Gottes Urteilsspruch* aus. Aber *zu ihr sollte und mußte nach ihrer Meinung die Wiedergeburt hinzutreten,* ein Vorgang, der nicht weniger als die *Wiederherstellung der ursprünglichen Gottebenbildlichkeit* meinte. Das bedeutet, daß der Stand der Sünde, der durch den Sündenfall bewirkt wurde, überwunden wird und nun der Stand der Gnade und der Wiedergeburt erreicht ist. Die Vollendung der Gottebenbildlichkeit ist dann dem Stand der Herrlichkeit in der Ewigkeit vorbehalten. Die Wiedergeburt ist Gottes Werk. Zugleich aber gibt es doch auch noch im Sünder eine gewisse Gotteserkenntnis, die ihn veranlassen kann, sich vom Teufel ab- und Gott zuzuwenden. Dabei hilft auch das Gewissen, das »eine Stimme Gottes in den Seelen« ist, »die der Mensch auch dann vernimmt, wenn er vom göttlichen Gesetz noch nichts gehört hat«[1]. Hieran knüpft dann Gottes Wort an, offenbart die Sünde und ruft zur Umkehr auf.

Die Botschaft der Gnade wird an alle Menschen gerichtet. Durch sie wird die ursprüngliche Ordnung wiederhergestellt. Das bedeutet aber nicht, daß alle Menschen von der Sünde befreit würden und die Seligkeit gewönnen. Vielmehr wird nur der, der das Wort annimmt und sich in die neue Ordnung Gottes hineinstellt, wirklich gerettet. Spener hat diesen Gedanken der Prädestination keine große Aufmerksamkeit gewidmet. Er war der Meinung, daß der Mensch Gott einen unüberwindlichen Widerstand entgegensetzen kann, so daß also das Heil letztlich nicht von Gott, sondern vom Menschen abhängt. Wer Gott Raum gibt, wer sich durch Buße und Glauben auf den Herrn vorbereitet, wird nicht zurückgestoßen. *Der allgemeine Gnadenwille Gottes findet* also *seine Grenze am Willen des Menschen.* Zwar ist der »Existenzwandel vom alten zum neuen Menschen«[2] hauptsächlich Gottes Werk. Aber wo das Geschöpf dem Schöpfer Widerstand leistet, kann sich diese Veränderung und damit die Wiederherstellung der ursprünglichen Ordnung nicht vollziehen. Allerdings kann Gott neben der Verkündigung von Gesetz und Evangelium, durch die einerseits die Sünde aufgezeigt und andererseits Glaube gewirkt wird, auch unmittelbar im Menschen handeln, sein Gewissen aufwecken oder sein »Herz« zu Aufmerksamkeit auf das Wort veranlassen. Aber trotzdem kann kein Mensch von Gott »gezwungen« werden – eine gratia irresistibilis gibt es nicht.

Eher ist bei Spener von Synergismus zu sprechen, von einem *Zusammenwirken zwischen Gott und Mensch*: Das Geschöpf muß nämlich seinem Erretter Raum geben. Gott will keinen gezwungenen Dienst: Der Mensch ist eine vernünftige Kreatur, kein Tier. Zwar hält Spener daran fest, daß die Voraussetzungen

---

[1] *Erhard Peschke:* Speners Wiedergeburtslehre und ihr Verhältnis zu Franckes Lehre von der Bekehrung, in: Traditio–Krisis–Renovatio aus theologischer Sicht. Festschrift Winfried Zeller zum 65. Geburtstag, Marburg 1976, S. 209.
[2] *Martin Schmidt:* Wiedergeburt und neuer Mensch. Gesammelte Studien zur Geschichte des Pietismus (Arbeiten zur Geschichte des Pietismus, Bd. 2), Witten 1969, S. 176.

und Grundlagen für Rechtfertigung und Wiedergeburt von Gott geschaffen werden, aber wo der Mensch sich dem verschließt, bleibt er in der Sünde, wie er umgekehrt desto mehr geistliche Kraft erhält, je mehr er sich Gott öffnet.

Faktisch ist die letzte Gruppe die kleinere: Die meisten Menschen »verriegeln« ihr Herz vor Gott. Sie sind vielleicht äußerlich Christen. Aber sie nehmen Gesetz und Evangelium nur mit dem Verstand auf, so daß ihr Glaube tot ist – eine fides historica besitzen sie, keine fides specialis. Diejenigen, die sich Gott nicht widersetzen, anerkennen dagegen ihre Sünden und tun ernstlich Buße. Eine Formalisierung des Bußvorganges lehnt Spener ab (das sollte nicht im ganzen Pietismus so sein!). Nach seiner Meinung sind nämlich Gottes Wege mannigfaltig. *Wo sich aber jemand Gott nicht in den Weg stellt, da ereignen sich Rechtfertigung und Wiedergeburt.*

Spener unterscheidet beide Begriffe, Rechtfertigung und *Wiedergeburt* fallen nicht etwa zusammen, sondern es wird faktisch der zweite Ausdruck *als umfassende Bezeichnung des gesamten Erneuerungsvorganges* angesehen. Dabei kann der Glaube als die erste Stufe hingestellt werden, die Sündenvergebung als die zweite – also die forensische Gerechtsprechung – »und die Schaffung des neuen Menschen«[3] als die dritte. Die letzte Stufe kann auch als »Anteilnahme an der göttlichen Natur« bezeichnet werden – 2 Petr 1,4 war dafür der biblische Beleg. Diese Anteilnahme wird als etwas Besonderes bezeichnet, was sogar über das hinausgeht, was im Urstand vorhanden war: Der Wiedergeborene kommt jetzt »in ein näheres Verhältnis zu seinem Vater, als es die Schöpfung tat«[4].

Es ist Spener nicht verborgen geblieben, daß er damit die Akzente anders setzte, als dies Luther getan hatte. Er meint aber, dies liege an der veränderten Situation. Während Luther gegen den Werkglauben kämpfen mußte, habe jetzt die Predigt von der Rechtfertigung zu falscher Sicherheit geführt, so daß *mehr die »Gottseligkeit des Lebens« als der Glaube betont werden müßten.* Jetzt gehe es darum zu zeigen, daß der Glaube in der Liebe tätig sei. Daß dadurch das Lutherische »extra nos« nicht mehr gewahrt blieb, weil das Entscheidende nicht die göttliche Rechtfertigung, sondern die Erneuerung des Menschen ist, hat man heftig kritisiert[5]. Man wird aber nicht übersehen dürfen, daß für Spe-

---

3 *Peschke,* S. 213.
4 *Schmidt,* S. 176.
5 Vgl. z. B. *Albrecht Ritschl: Geschichte des Pietismus,* 2. Bd., Bonn 1884, S. 111ff.

ner das Urteil Gottes die Basis bleibt. Nur geht es ihm darum zu zeigen, daß dies auch Folgerungen im Leben hat.

Deswegen ist neben das Stichwort »Wiedergeburt« das Stichwort »Heiligung« zu stellen. »Die Wiedergeburt bringt den Menschen nicht sogleich zur Vollkommenheit. Sie ist vielmehr der Anfang eines Heilsprozesses, auf den die *Erneuerung* des geistlichen Lebens folgen muß.«[6] Spener war der Meinung, daß die alte »Natur« des Menschen durch die Rechtfertigung geschwächt, aber noch nicht ganz zerstört wurde. Da aber Gott und die Sünde nicht nebeneinander vorhanden sein können, da demnach auch Glaube und Sünde nicht gleichzeitig bestehen können, muß sich die neue »Natur« durch einen Erneuerungsprozeß durchsetzen. Wo dies nicht geschieht, da ist der Glaube tot. Wo der Wachstumsvorgang, den Gott in der Wiedergeburt einleitete, vom Menschen fortgeführt wird, wo der alte Adam täglich getötet wird, so daß sich der neue Mensch entfalten kann, da wird die vollkommene Gerechtigkeit erlangt, die die Voraussetzung für das Heil ist. Die Sündenvergebung, die die Rechtfertigung bewirkt, schuf nur eine unvollkommene Gerechtigkeit, die durch Heiligung ergänzt werden muß, so daß *eine Gerechtigkeit des Lebens* geschaffen wird. Dabei hilft das Gesetz: es zeigt dem Wiedergeborenen an, wie er zu handeln hat – auch an dieser Stelle ist Spener also letztlich von der Theologie Melanchthons bestimmt. Spener sieht, daß *die vollkommene Gerechtigkeit auf Erden nicht erreicht* wird: sie ist der Ewigkeit vorbehalten. Aber es gibt niedere und höhere Stufen. Deswegen hat der Wiedergeborene sich zu mühen, möglichst viele Fortschritte zu machen. Dabei helfen ihm die Besinnung auf die Taufe und die Beschäftigung mit der Bibel. An dieser Stelle ist Spener also nicht von Mystik und Spiritualismus beeinflußt, sondern er lehrt reformatorisch: nicht auf besondere Offenbarungen kommt es an, sondern auf die Erinnerung an Gottes Handeln, wie es in der Heiligen Schrift und dem Sakrament der Taufe zum Ausdruck kommt. Auch das Abendmahl hilft den Wiedergeborenen beim Prozeß der Erneuerung und Heiligung. Dasselbe gilt für die Anfechtungen: Gott prüft die Gläubigen durch sie und macht ihnen ihre Schwäche deutlich. Sie zu bestehen, helfen Gebet und Abkehr von der Welt. Wer sich bei diesem Prozeß nicht von Gott abwendet, der erhält Anteil an der göttlichen Natur und damit Gemeinschaft mit dem Herrn über Leben und Tod. Für ihn gilt, daß er zwar die Gebote Gottes nicht ganz erfüllen, aber doch halten kann, daß er zwar noch Sünden hat, sie aber nicht mehr tut.

[6] *Peschke*, S. 216.

Der Ethiker *August Hermann Francke* legt sehr viel mehr Wert auf Buße und Bekehrung als sein Lehrer Spener. Sogar die Zusage von 2 Petr 1,4 von der Teilhabe an Gottes »Natur« wird von Francke »als Mahnung zur wahren Bekehrung«[7] ausgelegt. Dementsprechend betont er auch die Bedeutung des Gesetzes: es erschreckt und führt zur Buße. *Francke kommt es vor allem auf die Überwindung der bösen Kräfte im Menschen an.* Deswegen steht im Mittelpunkt seiner Rechtfertigungslehre nicht wie bei Spener der umfassende Prozeß der Wiedergeburt, sondern derjenige der Bekehrung. Er wird in drei Phasen gegliedert: *1. »Rührung« durch Gott, 2. Bußkampf und 3. »Durchbruch«.*

Wo Gott einen Menschen »anrührt«, wo er ihn erschreckt und aufweckt, werden Sünde und Verlorenheit erkannt. Allerdings kann sich der Mensch Gott widersetzen. Wo dies geschieht, wirkt sich das zum Untergang des Menschen aus. Wer sich dagegen von Gott in Bewegung setzen läßt, wird zur Buße getrieben. Francke fordert den *Bußkampf als unbedingt notwendige Voraussetzung für die Rechtfertigung:* Wo nicht zuerst die »Ertötung« des alten Menschen erfolgt, kann auch keine Lebendigmachung eintreten. »Diese Sache von der Mortification ist so nöthig, als der Articul von der Rechtfertigung«[8], vermag Francke zu formulieren. Wenn die Ertötung auch in die größten Tiefen führt, so ist sie doch die Voraussetzung für die Errettung. Es sind dies die Geburtsschmerzen, »die der Geburt vorangehen«[9]. Die dritte und letzte Stufe der Bekehrung, *der »Durchbruch«,* ist dann *mit Rechtfertigung und Wiedergeburt identisch.* Wer dies zu einem genau datierbaren Zeitpunkt erlebt, der gehört zu den Geretteten. Dabei ist dieser »Durchbruch« Gottes Werk, das sich der Mensch im Glauben zu eigen macht, in dem er aber auf das Handeln des Erretters angewiesen bleibt. Spener und Francke verbindet also das sola gratia, aber sie akzentuieren unterschiedlich, indem sie vorwiegend auf das Leben des Gerechtfertigten bzw. des Sünders blicken. Aber daß am Ende die Heiligung und die Vollkommenheit stehen, davon sind beide in gleichem Maße überzeugt.

Das gilt auch für John Wesley, der ähnlich wie Francke auf den Bekehrungsvorgang großen Wert legt, während sich *Nikolaus Ludwig Graf von Zinzendorf* von der Gesetzlichkeit dieses Pietismus distanziert. Zwar geht auch er von der Sünde aller Menschen aus, aber er interpretiert sie nicht als Erbsünde, weil Geistiges nicht vererbt werden könne – weder Gutes noch Böses –, son-

---

7 *Schmidt,* S. 273.
8 Zit. bei *Peschke,* S. 222.
9 *Peschke,* S. 223.

dern er erkennt, daß alle Menschen schwach und zum Schlechten geneigt sind. Die Sünde geht also auf die Natur des Menschen zurück und ist nicht etwa als Schuld vor Gott zu verstehen. Die menschliche Natur muß aber nicht von Bösem bestimmt werden. Wenn sie sich mit Gutem anfüllt, wendet sie sich demselben zu.

Dies geschieht in der Rechtfertigung, in der den Glaubenden Christi Opfer zugeeignet wird. Zinzendorf verweist auf das Blut und die Wunden Jesu, die den Christen so zugute kommen, daß ein *neuer* – nicht ein moralischer! – Mensch entsteht. Der Graf geht dabei von der zuvorkommenden Gnade Gottes aus und lehnt jedes Mitwirken des Menschen bei der Rechtfertigung ab. Wo aber das neue Leben seinen Anfang genommen hat, da ist die Furcht überwunden und die Freude herrscht. Die Nachfolge Jesu erweist sich als »ein seliges Kinderspiel«: »Dabei ist nichts überlegts, nichts gekünsteltes, nichts gezwungenes, sondern es macht sich alles selber.«[10]

Dieser *Optimismus* ist schon zu Zinzendorfs Zeit kritisiert worden. Es zeigte sich, daß sogar die von ihm beeinflußten Gemeinden diesen Weg der Freude ohne Gesetz nicht ohne Gefährdung zu gehen vermochten. Dabei war die von ihm vertretene Erfahrbarkeit der Macht der Sünde durchaus ernst gemeint. Er hatte auch darauf verwiesen, daß der Mensch einen Leib erhalten habe, um demütig zu bleiben: durch ihn wird der Mensch stets an seine Schwachheit erinnert. Aber zugleich wurde doch auch die Besonderheit des Menschen zwischen Gott und der übrigen Schöpfung unterstrichen, die es dem Menschen als dem herausragendsten Werk des Schöpfers ermöglicht, zur Einfachheit und Natürlichkeit zurückzukehren und wieder Kind Gottes zu werden.

Man hat von einem *Antinomismus* Zinzendorfs gesprochen. In der Tat hat das Gesetz in seiner Theologie keine rechte Funktion mehr. Es ist durch Christus überwunden und gilt für den Christen nicht mehr – wie auch das Gericht für ihn keine Bedeutung mehr hat. Aber dies ist nur möglich, weil sich der Glaubende an den gekreuzigten Christus hält. Zwar bleibt der Abstand zu ihm, der zugleich Gott und Mensch ist, gewahrt, aber entscheidend ist sein Werk, das Überwindung der Sünde und damit Rechtfertigung, Wiedergeburt und Heiligung ermöglicht. Der Gottessohn wird nicht moralisch-gesetzlich verstanden wie bei Francke und seinen Schülern, aber auch nicht als Tugendlehrer wie in der Aufklärung. Aber in der Betonung des Natürlichen und Individuellen erweist auch Zinzendorf sich von Gedanken seiner Zeit be-

---

[10] Zit. bei *Dietrich Meyer:* Zinzendorfs Sehnsucht nach der »naturellen Heiligkeit«. Zum Verhältnis von Natur und Gnade, in: Traditio–Krisis–Renovatio aus theologischer Sicht, Festschrift W. Zeller, S. 287.

einflußt. Die Besonderheit seiner Theologie sollte aber auch später noch Aufmerksamkeit finden.

Die konfessionellen Momente treten jetzt zurück. Im reformierten Pietismus finden sich ähnliche Hinweise auf Bekehrung, Wiedergeburt und Heiligung wie im lutherischen. Wo reformierte Orthodoxie von der Beharrungsgnade Gottes gesprochen hatte, forderten reformierte Pietisten den festen Willensvorsatz der Gläubigen, im neuen Stand zu bleiben – auch hier also die Wendung von theozentrischer Sicht zu anthropologischer und individueller Denkweise, die in der Aufklärung noch viel stärker zum Ausdruck kommen sollte.

Lesevorschlag   *J. Baur*, S. 87–110.

Literaturhinweise   *Erich Beyreuther:* Studien zur Theologie Zinzendorfs. Gesammelte Aufsätze, Neukirchen 1962. – *Hirsch 2*, S. 138ff. – *Dietrich Meyer:* Zinzendorfs Sehnsucht nach der »naturellen Heiligkeit«. Zum Verhältnis von Natur und Gnade, in: Traditio – Krisis – Renovatio in theologischer Sicht. Festschrift Winfried Zeller zum 65. Geburtstag, Marburg 1976, S. 284–297. – *Erhard Peschke:* Speners Wiedergeburtslehre und ihr Verhältnis zu Franckes Lehre von der Bekehrung, in: ebd. S. 206–224. – *Ders.:* Studien zur Theologie August Hermann Franckes, Bd. 1, Berlin 1964. – *Albrecht Ritschl:* Geschichte des Pietismus, 3 Bde., Bonn 1880–1886. – *Martin Schmidt:* Wiedergeburt und neuer Mensch. Gesammelte Studien zur Geschichte des Pietismus (Arbeiten zur Geschichte des Pietismus, Bd. 2), Witten 1969. – *Ders.:* Zinzendorf und die Confessio Augustana, in: ThLZ 93, 1968, Sp. 801–824. – *Horst Weigelt:* Pietismus-Studien, I. Teil (Arbeiten zur Theologie, II. Reihe, Bd. 4), Stuttgart 1965, S. 105–118.

5.2 Die Aufklärung – Heil und Moral

Die Schattierungen der Rechtfertigung sind in der Aufklärung mannigfaltig. Alle verbindet aber die *Abwendung von der augustinischen Erbsündenlehre und* die *Betonung der Kräfte des natürlichen Menschen.* Nicht die Schwäche oder gar das Unvermögen des Sünders ist der Ausgangspunkt, sondern die Möglichkeit sittlichen Lebens, zu dem nachdrücklich aufgerufen wird. Mit diesen Veränderungen in der Anthropologie hängt die Veränderung der Christologie aufs engste zusammen: *Ein Sühneleiden Christi für andere, die zu ihrer Entsühnung selber nichts beitragen, wird als unsittlich abgelehnt.* Man hält es für unangemessen, daß ein Sünder gerechtgesprochen wird – solange er Sünder bleibt. Ist er frei vom Bösen, kann ein entsprechendes Urteil natürlich gefällt werden. Eine iustificatio impii dagegen wäre unangemessen. *Ein synthetisches Urteil ist undenkbar,* vielmehr muß analysiert werden, was vorliegt, und dementsprechend fällt dann das Urteil aus.

Den *Maßstab* für die eigene Lehre liefert nicht die christliche Tradition, sondern *die natürliche Religion und das Licht der Vernunft,* die die *Freiheit des Menschen* erkennen lassen. Die Rechtfertigungslehre tritt aufs ganze gesehen zurück. Man glaubt sogar feststellen zu können, daß diese Lehre im Neuen Testament nicht vorkomme. Es werden auch historische Analysen des Streites über die Rechtfertigung im 5. Jahrhundert vorgelegt und festgestellt, daß die pauschale Verurteilung des Pelagius und seiner Anhänger ungerechtfertigt sei. Das Lob Augustins weicht der Kritik: Der Kirchenvater nimmt eine Erbschuld an, die die Verurteilung sündloser Kinder zur Folge hat – ein Gedanke, der allem ins Gesicht schlägt, was man in der Aufklärung für theologisch legitim hält.

Das hindert nicht, daß manche traditionelle Formeln wiederholt werden. Es kann vom Menschen als Sünder gesprochen werden, aber zumindest muß diesem Menschen die Fähigkeit zur eigenen Wandlung konzediert werden. Wenn überhaupt noch von einer Rechtfertigung durch Gott gesprochen wird, dann wird gleichzeitig doch gefordert, daß der Mensch dies anerkennen, selber also dabei aktiv sein muß. Einleuchtender erscheint den aufgeklärten Theologen aber, daß überhaupt nur dann geurteilt werden kann, wenn persönliche Verfehlungen vorliegen, wenn ein Mensch also nicht dem gefolgt ist, was ihm das Licht der Vernunft vorschrieb. Dieses Erkenntnismittel ist natürlich nicht den Christen vorbehalten. Deswegen wird jeder Heide, der so lebt, wie es die natürliche Religion erkennen läßt, von Gott anerkannt, er erhält die Gnade Christi – mag er von Christus auch nie etwas gehört haben. *Entscheidend ist* also nicht, ob das Evangelium von Christus verkündigt wurde, sondern *ob der Mensch recht lebt – das gilt für Christen und Heiden in gleicher Weise.* Heil und Moral gehören also zusammen: Wer sittlich handelt, wird anerkannt. Dieses Tun muß aus einem gereinigten Herzen kommen. Äußere Zeremonien oder Werke haben keine Bedeutung. Das moralisch Gute, das der Mensch tun soll, ist aber ganz persönlicher Art. Eine »Fixierung von fundamentalen Glaubensartikeln« erscheint deswegen »als unangebracht«[11]. Damit löst sich das Christentum in den Heilsvorgang und das moralische Leben einzelner auf.

11 *J. Baur,* S. 121.

Es gibt aber auch Versuche, doch noch typische Merkmale dieses Vorganges zusammenzufassen. Bezeichnend ist, daß hier an den Anfang die Umkehr des Menschen gestellt wird: Wer durch das Licht der Natur erkennt, daß er anders und besser zu leben hat, wendet sich dem Guten zu. Dabei mag Gottes Gnade unterstützend hinzukommen, aber *das Entscheidende liegt beim Menschen.* Wer sich ändert und »glaubt«, wer bereut, was er an Bösem getan hat, handelt nun anders. Er wird dann auch von Vertrauen erfüllt und schließlich »gerechtfertigt«. Das kann aber jetzt nur heißen, daß die Rechtfertigung die Feststellung der vorliegenden Moral vollzieht. *Wer recht handelt, hat ein Recht auf Gnade und Herrlichkeit* – hier ist der volle Gegensatz zur iustificatio impii erreicht.

Johann Salomo Semler formuliert: »Die ... Gnade Gottes, welche allen Menschen zu ihrer Errettung und wahren Wohlfahrt beförderlich ist, das Evangelium, welches eine Kraft Gottes ist zur Seligkeit derjenigen, welche gläuben, ist hinlänglich bekannt, um die Menschen anzuleiten, daß sie verleugnen sollen alle bisher gewohnten Lüste im Mißbrauche der sichtbaren Welt, daß sie hingegen gerecht und gottselig leben sollen in dieser Welt. Dies ist und bleibt die Hauptsache aller christlichen Lehre, die wir am meisten treiben müssen.«[12] Trotz der Anspielung auf eine Bibelstelle ist unübersehbar[13], daß das Christentum nichts Besonderes oder gar Außerordentliches brachte, sondern lediglich das, und zwar noch ein wenig deutlicher, was auch die natürliche Religion lehrt: Abwendung von der Lust »im Mißbrauche der sichtbaren Welt« und gerechtes Leben. Darum geht es in der Religion. Folgerichtigerweise wird *die Rechtfertigungslehre von Semler nicht unter die Grundlehren des Christentums gerechnet.* Dazu gehört nur die Erkenntnis des einen Gottes als des Vaters aller Menschen, die Überzeugung von Jesus als dem Lehrer und Wohltäter und die Gewißheit des Heiligen Geistes, der die Menschen zu einem besseren Leben erweckt. Eine Zurechnung einer Sündenschuld aufgrund eines Vergehens des ersten Menschen wird dagegen ausdrücklich abgelehnt. Auch die Unfreiheit des Willens wird bestritten. Die Ausschließung aller Nichtchristen und Nichtgetauften von der Gnade Gottes wird geleugnet. Statt dessen wird

---

[12] Zit. nach *Hirsch* 4, S. 84f.

[13] Vor allem in Semlers früheren Schriften gibt es auch Zustimmungen zu Äußerungen Luthers (vgl. *Gottfried Hornig:* Die Anfänge der historischkritischen Theologie. Johann Salomo Semlers Schriftverständnis und seine Stellung zu Luther, Forschungen zur Systematischen Theologie und Religionsphilosophie, Bd. 8, Göttingen 1961, S. 157ff.). Aber die Intention seiner Theologie kann kaum als reformatorisch bezeichnet werden.

eine moralische Religion entwickelt, in der auch *Christus* eine Rolle zu spielen vermag, nämlich *als Vorbild und Lehrer,* so daß Menschen durch ihn zum Guten angestachelt zu werden vermögen.

Die *Autonomie des Menschen* wird also hier nicht in Frage gestellt. Dies gilt auch für solche Theologen der Aufklärung, die stärker traditionell von »Sünde« sprechen. Aber auch sie interpretieren sie nicht etwa theologisch – als Versuch des Menschen, wie Gott sein zu wollen –, sondern moralisch. Auch sie fordern zur Überwindung der Sünde auf und vertrauen darauf, daß völliges Heil in dieser Welt möglich ist. Der Mensch sei auch nicht durch das belastet, was hinter ihm liegt, sondern könne stets neu anfangen, nämlich den Weg der Heiligung beschreiten. Jesu Leiden wird nicht satisfaktorisch gedeutet, sondern als etwas, was den Menschen zur Heiligung des eigenen Lebens veranlassen soll. Dazu hilft das Gesetz, das der Christ zu erfüllen versucht. Dabei hilft ihm das Vorbild Jesu: er ist der »große Werkheilige«, der einzige, der die Gebote erfüllte. Hier kehrt der »Bann des Gesetzlichen« mit aller Macht zurück[14]. Demgegenüber wird das Evangelium abgewertet. Die Christen werden aufgefordert, in ihren Bemühungen so weit voranzukommen, daß sie »die Muttermilch des Evangeliums« nicht mehr länger trinken müssen. Sie sollen vielmehr »zu immer hellern Einsichten und würdigern Uebungen in der Gottesverehrung« voranschreiten. Wo dies geschieht, da erweist sich *der Christ als »der wirklich gute Mensch«*[15].

Man wird nicht bestreiten können, daß diese Forderungen dem Vorverständnis der Gebildeten des 18. Jahrhunderts in Deutschland entgegenkamen. Die Veränderungen des Weltbildes waren von den Theologen noch nicht bewältigt worden, aber der Optimismus von der »herrlichsten aller Welten« konnte die hoffnungsvollen Aussagen über das Gute und Moralische im Christen nur Beifall bei denen finden lassen, die ebenfalls freudig dem entgegensahen, was der Mensch schaffen und vollbringen werde.

Von recht großem Einfluß war *Johann Joachim Spalding* (1714 bis 1804), der sich ebenfalls gegen eine stellvertretende Genugtuung Christi aussprach. Wenn früher gegen das Gesetz polemisiert wurde, dann sei dadurch nur dessen Mißbrauch angegriffen, aber nicht sein wahrer Wert bestritten worden. So sei die Ablehnung der Werke des Gesetzes durch Paulus lediglich gegen die mosaischen Satzungen gerichtet gewesen, und Luther habe nur

---

[14] *J. Baur,* S. 143.
[15] So Wilhelm Abraham Teller, zit. bei *J. Baur,* S. 146.

abergläubischen Werkdienst abgelehnt. Die Aussage von einer Erbschuld, die auf Menschen geladen wird, die nichts damit zu tun haben, wird als eine »unsittliche« Lehre hingestellt. Auch die Erbsünde wird als nicht so schwerwiegend hingestellt, wie dies in der augustinischen Tradition behauptet worden war. Es liege zwar eine gewisse Neigung zum Sinnlichen im Menschen, aber diese könne mit Hilfe des Verstandes gemindert oder gar überwunden werden. Keinesfalls dürfe eine völlige Unfähigkeit des natürlichen Menschen zum Guten behauptet werden. *Die traditionellen Begriffe der Rechtfertigungslehre werden aufgegriffen, aber uminterpretiert.* So sei die »Erlösung« als Beispiel für die Menschen zu verstehen: Sie hören Jesu Lehre und betrachten seine Aufopferung, um dadurch auf den Weg des Heils und der Moral gewiesen zu werden. Durch die Erinnerung an Christus werden sie die Übel des Lebens und den Tod nicht fürchten. Von einem Geschehen zwischen Gott und Christus oder gar zwischen Gott, Teufel und Christus kann dagegen in diesem Zusammenhang selbstverständlich nicht geredet werden. Auch der Begriff Gnade wird aufgenommen, es wird sogar von »sola gratia« gesprochen, aber sie wird semipelagianisch interpretiert, indem auf die Umkehr des Menschen Wert gelegt wird, die lediglich von Gott angenommen wird.

So entsteht das Bild eines Menschen, der frei ist sowie rechtschaffen und glücklich zu sein vermag. Dazu verhilft die Religion, ja, dies ist die eigentliche Aufgabe der Religion. Sie weist den Menschen auf das Gute hin, wofür er empfänglich ist. *Die gute Gesinnung* wird *als das Wesentliche* herausgestellt – gelingt die Tat auch nicht ganz, so bleibt doch das sie verursachende gute Anliegen entscheidend. Das Ziel des heilen, glücklichen und guten Menschen erscheint aus eigener Kraft erreichbar – ein Mann wie Johann Georg Hamann bleibt mit seiner Auffassung der iustificatio impii ein Außenseiter[16]. Der Trend geht in die entgegengesetzte Richtung: Rechtfertigung ist nicht etwa eine Zusprechung Gottes, ja nicht einmal ein analytisches Urteil des Richters, sondern die »Selbstbeurteilung, die sich mit dem sittlichen Wesen Gottes in Übereinstimmung weiß«[17]. Der tugendhaft Lebende braucht ein Urteil nicht zu fürchten – er kann sich selbst als untadelig wissen. *Julius August Ludwig Wegscheider* formuliert: »Das Streben nach Heiligkeit ist das sicherste Fundament des wahren Glaubens.«[18] Selbst diejenigen Theologen, die hier nicht

---

16 *Hirsch* 4, S. 176.
17 *J. Baur*, S. 156.
18 Zit. nach *Werner Elert:* Der christliche Glaube. Grundlinien der lutherischen Dogmatik, 3. Aufl., Hamburg 1956, S. 487.

ganz so weit gehen, halten doch daran fest, daß das Sittliche vom Menschen verwirklicht, ja, daß das Böse durch das Gute aufgewogen werden kann. Daß Gott keinen Sünder gerechtspricht, sondern in seinem Urteil nur die menschliche Tugend bestätigt, gilt fast allen Lehrern der Kirche als selbstverständlich. Jesus kann zwar bei diesem Prozeß zur Verwirklichung des Sittlichen helfen, aber grundsätzlich steht dies auch in der Macht des Menschen allein. Die Wiedergeburt erscheint nicht als ein Geschehen am Menschen, das er erfährt, sondern sie wird umgedeutet als die Arbeit an sich selber auf dem Weg zur Vollkommenheit.

Hier liegt eine »Zersetzung der Lehren von der Rechtfertigung und von der Versöhnung« vor[19]. Man mag das tadeln oder loben[20]. Sicher ist, daß die *Anthropologisierung der Rechtfertigung* apologetisch gemeint war: Auf diese Art sollten die Menschen auf den christlichen Hintergrund ihrer Existenz aufmerksam gemacht und in ihrem Streben nach dem Moralischen unterstützt werden. Deutlich ist aber auch, daß das Handeln Gottes in einem Maße zurückgedrängt wurde, das vorher in der Geschichte der christlichen Theologie unbekannt war. Der Schöpfer wird höchstens als Beurteiler und Richter anerkannt, keinesfalls aber als Neuschöpfer[21], der am Menschen gegen dessen Willen zu handeln sich »erlaubt«. Der Optimismus dieser Theologie und ihr »Biedersinn«[22] blieben oberflächlich. Es mußte sich zeigen, wie lange er sich zu halten vermochte, wenn Erschütterungen und Verunsicherungen auftraten.

Lesevorschlag   *Ritschl* 1, S. 388–419.

Literaturhinweise   *F. Chr. Baur*, S. 478–530. – *J. Baur*, S. 111–179. – *Gottfried Hornig:* Die Anfänge der historisch-kritischen Theologie. Johann Salomo Semlers Schriftverständnis und seine Stellung zu Luther (Forschungen zur Systematischen Theologie und Religionsphilosophie, Bd. 8), Göttingen 1961, S. 133–144 und 156 bis 165. – *Ders.:* Der Perfektibilitätsgedanke bei J. S. Semler, in: ZThK 72, 1975, S. 381–397. – *Joseph Schollmeier:* Johann Joachim Spalding. Ein Beitrag zur Theologie der Aufklärung, Gütersloh 1967, S. 80f. und 88–107. – *Hans-Walter Schütte:* Die Vorstellung von der Perfektibilität des Christentums im Denken der Aufklärung, in: Beiträge zur Theorie des neuzeitlichen Christentums, hg. von Hans-Joachim Birkner und Dietrich Rößler, Berlin 1968, S. 113 bis 126.

[19] *Ritschl* 1, S. 347.
[20] Letzteres tat *Hirsch* (4, S. 30).
[21] Man diskutierte auch, ob nicht Rechtfertigung und Prädestination identisch seien, vgl. *Karl Aner:* Die Theologie der Lessingzeit, Halle/Saale 1929, S. 292 bis 295.
[22] *J. Baur*, S. 179.

5.3 Schleiermacher (1768–1834) – Glaube und Erlösung

»Daß Gott den sich Bekehrenden rechtfertigt, schließt in sich, daß er ihm die Sünden vergibt und ihn als ein Kind Gottes anerkennt. Diese Umänderung seines Verhältnisses zu Gott erfolgt aber nur, sofern der Mensch den wahren Glauben an den Erlöser hat.« Diese Formulierung Friedrich Daniel Ernst Schleiermachers – § 109 seiner Glaubenslehre[23] – bringt zum Ausdruck, in welchem Maße die ältere Tradition aufgegriffen wird, läßt aber auch erkennen, wie stark sie uminterpretiert wird. Der Begriff der Rechtfertigung wird – wie früher – mit der Sündenvergebung in Verbindung gebracht. Positiv wird das neue Verhältnis als Gotteskindschaft ausgedrückt. Auch dem Glauben wird eine wesentliche Rolle dabei zugewiesen: er ist die notwendige Voraussetzung für die Rechtfertigung. Der Erlöser aber ist Jesus Christus, auf den die Besonderheit der christlichen Religion zurückgeführt wird.

Schleiermacher unterscheidet nämlich ästhetische und teleologische Religionen. Bei der ästhetischen Frömmigkeit ist das Sittliche dem Natürlichen untergeordnet, bei der teleologischen verhält es sich dagegen umgekehrt. Das Christentum zählt zu den teleologischen Religionen, wobei hier alles bezogen ist »auf die durch Jesum von Nazareth vollbrachte Erlösung«[24]. Schleiermacher distanziert sich vom Moralismus der Aufklärung, der ihm zu oberflächlich ist und der Jesus nur als Tugendlehrer und Vorbild verstanden hatte. Aber auch die Wundentheologie Zinzendorfs findet keine Anerkennung, da sie nur allegorische Spielereien hervorrufe. Wie sind demnach Erlösung und Rechtfertigung zu interpretieren?

Der Berliner Theologe geht hier – wie andere vor ihm – vom Begriff der Sünde aus. Er interpretiert sie als aus dem Widerspruch des Fleisches gegen den Geist entstehend. Sünde wird als eine »erfahrungsmäßige Thatsache«[25] hingestellt. Der Mensch erkennt sich als unvollkommen, was Sehnsucht nach Erlösung hervorruft, die der Mensch offenbar nicht allein bewirken kann. Zugleich läßt sich aber nicht übersehen, daß das Bewußtsein von

[23] Zit. nach *Friedrich Schleiermacher: Der christliche Glaube*, 7. Aufl., 2. Bd., hg. von Martin Redeker, Berlin 1960, S. 171f. Ich beschränke mich hier auf das Werk des älteren Schleiermacher.
[24] Ebd., 1. Bd., Berlin 1960, S. 74 (§ 11).
[25] Zit. nach *Hermann Fischer: Subjektivität und Sünde. Kierkegaards Begriff der Sünde mit ständiger Rücksicht auf Schleiermachers Lehre von der Sünde*, Itzehoe 1963, S. 66.

Sünde vorhanden sein muß, bevor Erlösung möglich wird. *Es kommt also auf die Erkenntnis des Menschen an, der sieht, daß er wie alle anderen in den Zusammenhang von vorhandener Sündigkeit und möglicher Vollkommenheit hineingestellt ist.* Da der Mensch nicht als vereinzelt, sondern als Glied der Gesamtheit angesehen wird, da »alles Einzelne zurückzuführen (ist) auf Allgemeines, alles Individuelle auf Identisches«[26], da damit alle vernunftbegabten Geschöpfe auf den Weg der Erlösung gewiesen sind, kann Schleiermacher sagen, daß einmal das gesamte Menschengeschlecht diese Befreiung erleben und Anteil am Reich Gottes erhalten wird. Die Sünde ist also nicht so sehr persönliches Vergehen und schon gar nicht eine Folge des Verhaltens des ersten Menschen – was darüber in der Bibel gesagt wird, wird als *Mythos* bezeichnet. Sünde und Erbsünde werden vielmehr in »Ursündlichkeit« und einzelne Taten des Menschen uminterpretiert, die aus der Distanz von Fleisch und Geist entsteht – ein ja schon lange vor Schleiermacher betonter Gegensatz.

Es verwundert deswegen nicht, daß *das Böse als das »Nicht-Seiende«* bezeichnet wird. Gott kann nicht als Urheber der Sünde angesehen werden, ja, für ihn existiert sie eigentlich gar nicht, wie auch der Sünder nicht von ihm in den Blick genommen wird. Zwar wird die Ursächlichkeit Gottes für alles Geschehen betont, aber diese beschränkt sich doch auf den Gesamtzusammenhang menschlichen Lebens, der als Weg zur Erlösung aller gedeutet wird. Schleiermacher entwirft keine Heilsgeschichte. Vor allem wird der Gedanke abgelehnt, daß von einem zornigen Gott geredet werden könne – diese Aussage ist nach seiner Meinung Gott unangemessen. *Der Weg der Menschheit zur Erlösung erscheint also von der Distanz von Fleisch und Geist und damit von natürlichen Bedingungen abhängig.*

Was das Verständnis des Menschen angeht, so möchte Schleiermacher die Ketzereien des Manichäismus und des Pelagianismus vermeiden. Während der erstere die Erlösungsfähigkeit des Menschen bestreite, lehne der letztere die Erlösungsbedürftigkeit ab. Schleiermacher möchte sich dadurch zugleich auch vom Supranaturalismus einerseits und dem Rationalismus andererseits distanzieren, wo er die beiden Irrlehren des Manichäismus und des Pelagianismus vertreten findet. Auch in der Lehre von Christus müßten die Extreme vermieden werden: weder dürften seine Menschlichkeit noch seine Besonderheit bestritten werden.

Denn das Erlösungswerk Jesu – sein »Geschäft«, wie Schleier-

---

[26] *Horst Stephan:* Die Lehre Schleiermachers von der Erlösung, Tübingen und Leipzig 1901, S. 177.

macher sagt[27] – bleibt für die Christen und eigentlich für alle Menschen wichtig. Zwar wird die altkirchliche Zweinaturenlehre abgelehnt. Auch der Gedanke von einem stellvertretenden Strafleiden Christi findet keine Anerkennung. Aber zugleich wird betont, daß sich die *Wiedergeburt nur aus göttlicher Kraft* vollziehen könne. Es ist – wie immer – einfacher, die Erlösungslehren anderer zu kritisieren, als die eigenen Besonderheiten darzustellen. Schleiermacher lehnt die »empirische« Deutung des Rationalismus ab: Christus ist nach seiner Meinung nicht nur Lehrer und Vorbild. Auch die »magische« Auffassung der theologisch konservativen Theologen seiner Zeit wird als unzutreffend hingestellt: Die Strafwürdigkeit der Menschen kann nicht dadurch beseitigt werden, daß Christus die Strafe der anderen auf sich genommen hätte, weil dies nur im Sinne eines »Zauberspruches« gedeutet werden könnte.

Vielmehr müsse *eine »mystische« Erlösungslehre* vertreten werden: Der Erlöser stärkt das Gottesbewußtsein der Glaubenden innerhalb des Gesamtlebens der Menschheit wie auch durch eine persönliche Lebensgemeinschaft des Erlösers mit dem Glaubenden. Der Christ erscheint nicht mehr als vereinzelt vor Gott, sondern als Glied der Menschheit und vor allem der christlichen Gemeinde[28]. Er erlebt durch das erstarkte Gottesbewußtsein die Befreiung von der Macht des Sündenbewußtseins.

Daß hier eine Umdeutung der traditionellen Begriffe erfolgt ist, läßt sich nicht übersehen. Man hat deswegen gefragt, ob hier wirklich Unterschiede zur rationalistischen Deutung des »Geschäftes« Christi vorliegen. Obwohl Schleiermachers Sympathien gewiß mehr auf dieser als auf der »magischen« Seite liegen, wird aber doch gesagt werden müssen, daß er die Naivität des Rationalismus trotz allem zu vermeiden suchte. Christus ist nicht nur Vorbild, sondern er gibt tatsächlich Anstöße. Er fordert nicht nur sittliche Entschlüsse, sondern befreit von dem Bann der Sünde. Das in Jesus wohnende Gottesbewußtsein war »ein eigentliches Sein Gottes in ihm«[29]. Natürlich ist auch diese Wendung mehrdeutig, aber immerhin bemüht Schleiermacher sich unter Vermeidung traditioneller Begriffe an dieser Stelle, den Unterschied zwischen Christus und dem Gläubigen herauszustellen.

Es läßt sich auch nicht übersehen, daß *das Geschehen der Erlösung als auf Gnade beruhend interpretiert* wird. Der Glaube, den Gott wirkt, bringt als Frucht das neue Leben hervor. Die Erlö-

---

27 Der christliche Glaube 2, S. 90.
28 Diese erscheint als »eine Art Antecipation der zu erlösenden Menschheit« (*Stephan*, S. 39).
29 Der christliche Glaube 2, S. 43.

sung wird nicht mehr (wie in der protestantischen Orthodoxie) in viele Einzelvorgänge zerlegt, sondern auf Bekehrung, Rechtfertigung und Heiligung reduziert. Am Anfang steht die Umkehr – eine Tat des Menschen, wie aus dem ersten Satz dieses Kapitels hervorgeht. Zu ihr gehören Buße und Glaube. Reue und Sinnesänderung veranlassen den Menschen, sich vom Sinnlichen ab- und dem Geistigen zuzuwenden. Wo dies geschieht, wird von Gott Glaube geweckt, dem die Vergebung der Sünden und die Gotteskindschaft zugesprochen werden. *Die Bekehrung ist* also *die Voraussetzung der Rechtfertigung: Wo keine Umkehr erfolgte, kann auch keine Sündenvergebung festgestellt werden.*

Buße, Glaube und Rechtfertigung werden mit dem Begriff *»Wiedergeburt«* zusammengefaßt. Überhaupt wird dies *neben »Erlösung«* das entscheidende Stichwort. Die Rechtfertigung gehört also zur Wiedergeburt – nicht umgekehrt! War bei Luther mit der Rechtfertigung die Erneuerung verbunden, so wird hier der Akzent auf den Gesamtvorgang der Erlösung gelegt. Wo sich Wiedergeburt ereignet, da ergibt sich daraus die Heiligung. Es ist bezeichnend, daß diese Begriffe in der Gliederung der Glaubenslehre einen eigenen Platz gefunden haben[30], während die Rechtfertigung nur in einem einzelnen Paragraphen abgehandelt wird. Problematisch ist auch, daß die Rechtfertigung eigentlich alle Menschen betrifft, weil ja – wie wir gesehen haben – die Erlösung aller zum Weltgeschehen gehört. Damit entfällt die Zurückweisung oder Verwerfung von Menschen, die Frage nach der Prädestination braucht nicht mehr gestellt zu werden.

Anders als in der Reformation wird auch die Bekehrung interpretiert. Sie geht nicht auf Gottes Gesetz zurück, sondern »entsteht aus der Anschauung der Vollkommenheit Christi«[31]. Hinzu kommt, daß die Wiedergeburt eine reale Veränderung bewirken muß. Geschieht dies nämlich nicht, dann kann Gott auch nicht rechtfertigen. Gott kann nur Sünden vergeben, wo tatsächlich keine mehr sind. Albrecht Ritschl hat Schleiermacher deswegen eine katholisierende Rechtfertigungslehre nachgesagt: Es handele sich bei ihm nicht um ein synthetisches, sondern ein analytisches Urteil Gottes[32]. Horst Stephan hat dem widersprochen: Bei Schleiermacher spiele dieser Gegensatz keine Rolle. Es gehe bei ihm nicht um ein Urteil, sondern um ein schöpferisches Handeln Gottes: »Das Deklaratorische verschwindet im Schöpferischen.«[33] Die Erlösung ist in der Tat ein Vorgang, kein Urteil. Dies bringt

---

30 Der christliche Glaube 2, S. 150–182.
31 *Hirsch* 5, S. 346.
32 *Ritschl* 3, S. 454.
33 S. 170.

am deutlichsten Schleiermachers Abwendung von der traditionellen protestantischen Rechtfertigungslehre zum Ausdruck. Wo er von Rechtfertigung spricht, geschieht dies mit Rücksicht auf die Tradition und nicht, weil diese innerhalb seiner Erlösungslehre einen fundamentalen Platz einnähme. Diese Rücksicht auf die Tradition geht so weit, daß nun auch von einem Urteilen gesprochen wird und von einem Vorgang, der in seiner letzten Begründung organisch verlaufen müßte. Daß dann aber stets ein analytisches Urteil gemeint ist, kann auch Stephan nicht bestreiten[34], so daß Ritschls Urteil in der zugespitzten Fragestellung, was denn nun Rechtfertigung bei dem Berliner Theologen bedeute, als zutreffend angesehen werden muß. Weil Schleiermacher sich aber bemüht, das Geschehen der *Erlösung* in die Theologie neu aufzunehmen, wird man ihn zugleich auch mit jenen Theologen des 19. Jahrhunderts zusammenzustellen haben, die die Rechtfertigungslehre im Sinne einer Erlösungs- oder Versöhnungslehre zu erweitern und auch zu beleben suchten.

Daß Schleiermachers Reduktion des ordo salutis auf Wiedergeburt und Heiligung mit einer Ausweitung der Rechtfertigung des einzelnen Menschen auf die Erlösung des Menschengeschlechts verbunden war, hat zu manchen Unschärfen geführt, die durch schillernde Begriffe noch vermehrt wurden. Man könnte deswegen auch hier von einem »schleier-machenden« Vorgehen sprechen. Allerdings ist zuzugestehen, daß durch Schleiermachers Synthese auch bedeutende Anregungen vermittelt wurden – gerade auch dort, wo Distanzierungen von der reformatorischen Lehre damit verbunden waren.

Lesevorschlag   *Ritschl* 1, S. 489–538.

Literaturhinweise   *Karl Barth:* Die protestantische Theologie im 19. Jahrhundert. Ihre Vorgeschichte und ihre Geschichte, Bd. 2 (Siebenstern-Taschenbuch 178), Hamburg 1975, S. 360–400. – *Hans-Joachim Birkner:* Schleiermachers christliche Sittenlehre im Zusammenhang seines philosophisch-theologischen Systems (Theologische Bibliothek Töpelmann, 8. H.), Berlin 1964. – *Hermann Fischer:* Subjektivität und Sünde. Kierkegaards Begriff der Sünde mit ständiger Rücksicht auf Schleiermachers Lehre von der Sünde, Itzehoe 1963. – *Horst Friebel:* Die Bedeutung des Bösen für die Entwicklung der Pädagogik Schleiermachers, Ratingen 1961. – *Hans Graß:* Die durch Jesum von Nazareth vollbrachte Erlösung. Ein Beitrag zur Erlösungslehre Schleiermachers, in: Denkender Glaube. Festschrift Carl Heinz Ratschow, Berlin und New York 1976, S. 152–169. – *Hirsch* 5, S. 281–348. – *Karl Holl:* Die Rechtfertigungslehre im Licht der Geschichte des Protestantismus, in: *ders.:* Gesammelte Aufsätze zur Kirchen-

34 S. 170.

geschichte, Bd. 3, Darmstadt 1965, S. 525–557. – *Poul Henning Jørgensen:* Die Ethik Schleiermachers (Forschungen zur Geschichte und Lehre des Protestantismus, 10. R., Bd. 14), München 1959. – *Bruno Laist:* Das Problem der Abhängigkeit in Schleiermachers Anthropologie und Bildungslehre, Ratingen 1965. – *Hermann Peiter:* Theologische Ideologiekritik. Die praktischen Konsequenzen der Rechtfertigungslehre bei Schleiermacher (Studien zur Theologie und Geistesgeschichte des Neunzehnten Jahrhunderts, Bd. 24), Göttingen 1977. – *Horst Stephan:* Die Lehre Schleiermachers von der Erlösung, Tübingen und Leipzig 1901.

6 Integration der Rechtfertigungslehre – vom 19. zum 20. Jahrhundert

6.1 Albrecht Ritschl – Rechtfertigung und Versöhnung

Zahlreiche Theologen haben sich im 19. Jahrhundert mit der Rechtfertigungslehre befaßt. Das wurde einerseits durch die Betonung der Erlösung durch Schleiermacher und andererseits durch die Rückbesinnung auf die protestantische Orthodoxie und die Reformation veranlaßt. Beides wurde zum Beweggrund, neu nach dem articulus stantis et cadentis ecclesiae zu fragen. Die Antworten fielen höchst unterschiedlich aus. *Ferdinand Christian Baur* beschrieb unter Hegels Einfluß den Erkenntnisweg von der »unmittelbaren Objektivität« über die »Subjektivität« zur »vermittelten Objektivität« und meinte, noch nie sei die Versöhnungslehre »aus einem höhern und umfassendern Standpunkt aufgefaßt worden als in der neuesten Zeit«[1]. *Søren Kierkegaard* dagegen kritisierte sowohl die orthodoxe Erbsündenlehre als auch die moderne Theologie, sprach von der Erfahrung der Sünde, von der Angst als deren Voraussetzung und Folge und interpretierte die Versöhnungslehre als die Lehre »von dem im Glauben« durch Gott »begnadigten Menschen«[2]. Die konfessionellen Theologen griffen auf die Theologie zurück, die vor der Aufklärung erarbeitet worden war. Keiner aber hat sich so intensiv und ausführlich mit der Rechtfertigungslehre befaßt wie Albrecht Ritschl (1822–1889), so daß seiner Auffassung besondere Aufmerksamkeit gewidmet werden muß.

Ritschl ist der Meinung, daß die »Lehre von der Rechtfertigung und Versöhnung ... die Centrallehre des evangelischen Christenthums« sei (3,III). Er knüpft damit in einem Maße an Luther an, wie kaum ein anderer Theologe vor ihm. Dies geschieht aufgrund von bahnbrechenden Studien, in denen auch auf die Entwicklung

[1] *F. Chr. Baur*, S. 742.
[2] *H. Fischer:* Subjektivität und Sünde, S. 85–112.

von Luthers Rechtfertigungslehre hingewiesen wird. Sie werden darüber hinaus einbezogen in eine Analyse der biblischen Aussagen und ein Gesamtverständnis evangelischer Dogmatik, das von großer Geschlossenheit und Eindrücklichkeit ist.

In der »Definition« dessen, was Rechtfertigung meint, betont der Göttinger Theologe den »synthetischen« Charakter des göttlichen Urteils: Rechtfertigung kann nach seiner Meinung nur »als Entschluß oder Act des göttlichen Willens gedacht werden«, und zwar als »ein schöpferischer Willensact Gottes«, durch den »ein Prädicat gesetzt wird, welches nicht schon in dem Begriffe des Sünders eingeschlossen ist« (3,76f.). Es muß also stets von einer iustificatio *impii* gesprochen werden. Diese Rechtfertigung geschieht durch *imputatio iustitiae:* Was dem Sünder fehlt, wird ihm angerechnet und zugesprochen. Zugleich ist damit die Vergebung der vorhandenen Sünden verbunden – auch dieser Begriff (»remissio peccatorum«) findet also einen Platz in diesem System. Da Ritschl gleichzeitig auch sagen kann, die Rechtfertigung sei Mitteilung der Gottessohnschaft, ja sie führe »die Gläubigen in das ewige Leben ein« (3,92), schrumpft der orthodoxe ordo salutis in den *einen* Vorgang der Rechtfertigung des Sünders zusammen: *Hier* werden die göttlichen Strafen erlassen, die Schuld vergeben und die Trennung von Gott aufgehoben. Als einzige »Bedingung der Rechtfertigung« wird der Glaube bezeichnet. Was ist darunter zu verstehen?

Ritschl polemisiert gegen jedwede Intellektualisierung des Glaubens. Er erinnert daran, daß Luther den Glauben mit dem »Vertrauen auf den Heilswillen Gottes« (3,97) identifizierte und lehnt es ab, damit die Kenntnis oder Anerkennung bestimmter theologischer Aussagen zu verbinden – die Synthese der drei Momente, die die protestantische Orthodoxie vorgenommen hatte, wird also nicht übernommen. Vielmehr gehört »*der Glaube wesentlich dem Gebiete des Willens an*«. Er »beherrscht das Selbstgefühl des Gläubigen und alle Merkmale des Affectes, der Ueberzeugung, der Gewißheit, des Gehorsams, des Lustgefühls« (ebd.). Das reformatorische sola fide wird also zusammen mit dem sola gratia behauptet. Die katholische und die pietistische Rechtfertigungslehre werden abgelehnt: weder handelt es sich bei der Rechtfertigung um ein analytisches Urteil, noch können Werke und neues Leben den göttlichen Richtspruch veranlassen, ja nicht einmal »der Glaube selbst kraft seiner eigenen Qualität kann das göttliche Urteil begründen«[3]. Der Glaube als »Bedin-

3 *Rolf Schäfer:* Die Rechtfertigungslehre bei Ritschl und Kähler, in: ZThK 62, 1965, S. 72.

gung« ist also nicht ein von Gott gefordertes »Werk«, sondern von ihm selbst gewirkt, so daß die Voraussetzungslosigkeit des göttlichen Richtens gewahrt bleibt.

In dem, was bisher zu sagen war, läßt sich *eine große Übereinstimmung mit reformatorischer Tradition* konstatieren. Überraschend wirkt es, wenn Ritschl die *Rechtfertigung auch mit dem »Reich Gottes« und der Versöhnung identifiziert.* Er spricht jedenfalls von einer Gleichartigkeit der »Begriffe vom Reich Gottes und von der Rechtfertigung« bzw. von »Sündenvergebung oder Rechtfertigung gleich Versöhnung« (3,31f. und V). Es wird festzustellen sein, wie er dies interpretiert.

Nach Ritschls Meinung besitzt die Theologie *zwei Brennpunkte: Rechtfertigung und Reich Gottes.* »Das Christenthum ist nicht einer Kreislinie zu vergleichen, welche um Einen Mittelpunkt liefe, sondern einer Ellipse« (3,11). Der Katholizismus sei »dieser Thatsache ... gerecht geworden«, indem er sich »als das Institut der Sacramente« und »als das gegenwärtige Reich Gottes« konstituierte. Schleiermacher dagegen habe dem nicht Rechnung getragen, weil er nicht klar zwischen der »Erlösung durch Jesus« und der »Idee des Reiches Gottes« unterschieden habe (ebd. und S. 9). Das »Reich Gottes« ist nach Ritschl deswegen von so großer Bedeutung, weil es der »Ort der Rechtfertigung«[4] ist. Der Glaubende wird nämlich als Glied der Kirche verstanden. Er gehört zur Gemeinde der Gerechtfertigten. Die Rechtfertigung ist kein »Privatverhältnis des einzelnen mit Gott«[5], wie der Pietismus gemeint hatte. Der Göttinger beruft sich hierfür auf Luther und bestimmt die Kirche als wesentlich für das Rechtfertigungsgeschehen. Die Kirche aber ist »als Gemeinschaft der Liebe das Reich Gottes«[6], das nicht erst irgendwann in der Zukunft beginnt, sondern schon jetzt vorhanden ist. Ritschl kann in diesem Zusammenhang so weit gehen, das Reich Gottes als höchsten »Endzweck Gottes in der Welt« zu bezeichnen, zu dem sich dann die Rechtfertigung lediglich als Mittel zum Zweck verhält (3,308). Demnach wäre sie dann doch kaum mehr ein gleichwertiger »Brennpunkt« neben dem Reich Gottes? Man wird diese Divergenz nicht bestreiten können, muß sich aber klar machen, daß die Rechtfertigung deswegen bleibende Bedeutung behält, weil sie die Grundlage für Gottes Handeln an den Menschen bildet. Dazu tritt das »Reich Gottes« nicht etwa in Konkurrenz, sondern es bildet die Ergänzung im Hinblick auf Gottes Gesamtplan. Die beiden Brennpunkte bleiben also nebeneinander bestehen.

4 A.a.O. S. 75.
5 A.a.O. S. 76.
6 A.a.O. S. 71.

Von noch weiterreichender Bedeutung ist Ritschls Interpretation der *Versöhnung*. Von Anselm von Canterbury und anderen war damit die Versöhnung Gottes aufgrund des Werkes Christi bezeichnet worden. Jetzt aber werden Rechtfertigung und Versöhnung als Synonyme hingestellt – obwohl Rechtfertigung doch Rechtfertigung des Menschen bedeutet! In der Tat kehrt Ritschl die frühere Aussage um: *Gott ist nicht Objekt, sondern Subjekt der Versöhnung*[7]! Wie er rechtfertigt, so versöhnt er auch. Ritschl will beide Verben höchstens so differenzieren, daß er meint, Rechtfertigung bezeichne allgemein Gottes Urteil, während Versöhnung zugleich noch die Aneignung dieses Urteils durch den Menschen zum Ausdruck bringe: Dieser Begriff habe »einen größern Umfang und größere Bestimmtheit als der der Rechtfertigung. Er drückt nämlich die in der Rechtfertigung oder Verzeihung jedesmal beabsichtigte Wirkung als wirklichen Erfolg aus, nämlich daß derjenige, welchem verziehen wird, auf das herzustellende Verhältnis eingeht« (3,74). Auch von dieser Seite her erscheint Ritschls Zentralbegriff plötzlich als untergeordnet! Dies wird aber nur recht verstanden, wenn man sich seine Gottesvorstellung vergegenwärtigt.

Nach Ritschls Meinung ist *die Liebe die »Wesensbestimmung Gottes«*. Von einem zornigen Gott kann nicht geredet werden. Wo Luther dies tat, wird er als Nominalist hingestellt, dem es nicht gelang, seine neue und richtige Rechtfertigungslehre von den überholten Schlacken mittelalterlicher Theologie zu befreien. Die Gerechtigkeit Gottes müsse »als synonym mit Gnade und Barmherzigkeit« erkannt werden (1,223). Von einem Gericht Gottes vermag Ritschl also so wenig wie Schleiermacher zu reden. Demnach gilt die Rechtfertigung allen Menschen, nicht nur den »Erwählten« oder »Prädestinierten«. Die Diskrepanz zwischen Gottes Gnadenwillen und dem Verhalten der Menschen mag dann in der Unterscheidung von Rechtfertigung und Versöhnung beschrieben werden. Aber daß das Gottesbild Ritschls zutreffender sei als dasjenige Luthers, wird man bezweifeln müssen[8].

Der Göttinger Theologe ist auch der Frage nach dem Verhältnis von *Rechtfertigung und Heiligung* nachgegangen. Wir hatten schon gesehen, daß er kein Werk als Voraussetzung der Rechtfertigung anerkennt. Das liegt nicht nur an dem Charakter des göttlichen Urteils, sondern auch daran, daß kein Mensch wirklich vollkommene Werke vollbringen könnte, durch die er selber Zu-

---

7 *Walther von Loewenich:* Luther und der Neuprotestantismus, Witten 1963, S. 105.
8 A.a.O. S. 104f.

tritt zum Reich Gottes zu erlangen vermöchte. Ritschl kann auch nicht ein neues sittliches Verhalten als die direkte Folge der Rechtfertigung bezeichnen. Denn die Rechtfertigung ist nicht in dem Sinne effektiv gedacht, daß sie Menschen zugleich auch zu sündlosem Handeln befähigt, vielmehr ist ja erst »Versöhnung« der Ausdruck für die Annahme des allgemeinen göttlichen Urteilsspruches. Das sittliche Verhalten des Glaubenden wird ganz aus der Lehre von Rechtfertigung und Versöhnung herausgelöst und mit dem Begriff des Reiches Gottes verbunden: wer sittlich handelt, trägt zu dessen Bau bei. Dem Glaubenden, der zur Gemeinschaft der Gerechtfertigten gehört, wird sittliches Verhalten geradezu gesetzlich abverlangt. Nur wer entsprechend lebt, kann die Gewißheit der Versöhnung besitzen. Die »sittliche Tätigkeit im Reich Gottes« wird zur »Bedingung« der Versöhnung gemacht[9]. Allerdings läßt sich nicht übersehen, daß es sich hier nur noch um moralische Appelle handeln kann – nachdem der Gedanke eines göttlichen Gerichtes fallen gelassen wurde, kann nicht mehr das »Gesetz« als Offenbarer der Sünde noch das Evangelium als allein rettende Botschaft hingestellt werden.

Dies ist darauf zurückzuführen, daß Ritschl den tiefgreifenden Umbruch zu berücksichtigen sucht, den die Aufklärung hervorgerufen hatte. Ein Gottesbild, das nicht frei ist von Aussagen, die Gott »unwürdig« erscheinen, wird abgelehnt. Dasselbe gilt von der Anthropologie: Wenn dem Menschen die Anrechnung einer »fremden« Gerechtigkeit im Sinne des voraufklärerischen Denkens zugemutet wird, dann lehnt dies der Göttinger Theologe als unsittlich ab. Gleichzeitig aber macht er das reformatorische Thema wieder zum Mittelpunkt der Theologie. Er versucht auch, den seit der Aufklärung aufgekommenen protestantischen Individualismus in seine Schranken zu weisen, indem er antipietistisch auf die Kirche als den Ort der Rechtfertigung verweist. Es kann deswegen »Ritschls Erneuerung von Luthers Rechtfertigungslehre« als »eine Großtat in der Theologie des 19. Jahrhunderts« bezeichnet werden[10]. Die Deutung der Rechtfertigung als eines synthetischen Urteils und die Konzentration auf Rechtfertigung, Versöhnung und Reich Gottes hat viele Theologen nachhaltig beeinflußt.

Lesevorschlag

Walther von Loewenich: Luther und der Neuprotestantismus, Witten 1963, S. 91–111.

9 *Schäfer*, S. 72f.
10 *von Loewenich*, S. 100.

Literaturhinweise *K. Barth:* Die protestantische Theologie im 19. Jahrhundert (vgl. Lit. zu 5.3!), S. 564–571. – *Werner Elert:* Der Kampf um das Christentum. Geschichte der Beziehungen zwischen dem evangelischen Christentum in Deutschland und dem allgemeinen Denken seit Schleiermacher und Hegel, München 1921, S. 258 bis 266. – *H. Grewel:* Kirche und Gemeinde in der Theologie Albrecht Ritschls, in: NZSTh 11, 1969, S. 292–311. – *Gösta Hök:* Die elliptische Theologie Albrecht Ritschls nach Ursprung und innerem Zusammenhang (UUA 1942/3), Uppsala 1942. – *Wilhelm Lütgert:* Die Religion des deutschen Idealismus und ihr Ende, 4. T. (Beiträge zur Förderung christlicher Theologie, 2. R., 21. Bd.), Gütersloh 1930, S. 388–399. – *Ritschl,* bes. 3, S. 26–180. – *Rolf Schäfer:* Die Rechtfertigungslehre bei Ritschl und Kähler, in: ZThK 62, 1965, S. 65–85. – *Ders.:* Ritschl. Grundlinien eines fast verschollenen dogmatischen Systems (Beiträge zur historischen Theologie, Bd. 41), Tübingen 1968. – *Horst Stephan – Martin Schmidt:* Geschichte der evangelischen Theologie in Deutschland seit dem Idealismus, 3. Aufl., Berlin 1973, S. 260–275. – *Hermann Timm:* Theorie und Praxis in der Theologie Albrecht Ritschls und Wilhelm Herrmanns. Ein Beitrag zur Entwicklungsgeschichte des Kulturprotestantismus (Studien zur evangelischen Ethik, Bd. 1), Gütersloh 1967.

6.2 Karl Barth – Versöhnung und Heil

Auch im 20. Jahrhundert hat die Rechtfertigungslehre von neuem Beachtung gefunden. Das hängt mit der Rückbesinnung auf die reformatorische Theologie zusammen, die besonders durch die Entdeckung neuer Schriften des jungen Luther angeregt wurde, wie auch mit der sogenannten »dialektischen Theologie«, in der eine Abwendung von der Symbiose zwischen Christentum und Kultur des Neuprotestantismus und eine neue Beschäftigung mit spezifisch theologischen Fragen vollzogen wurde. Wir können den vielen verschiedenen Interpretationen aus unserem Jahrhundert hier nicht nachgehen, müssen uns vielmehr auf die Rekonstruktion von zwei Lösungen beschränken. Dafür empfehlen sich Karl Barth und Werner Elert, weil sie mit großer Eindringlichkeit und Präzision ihre Stellung vertreten haben.

Der Schweizer *Barth* (1886–1968) ging wie in seiner gesamten Theologie so auch in seiner Interpretation der Rechtfertigung davon aus, daß allein die Offenbarung Gottes rechte christliche Lehre ermöglicht. Es gibt keine natürliche Theologie, die unter Absehung von Jesus Christus gewichtige oder gar verbindliche Aussagen machen könnte. Auch die Lehre von der Sünde kann nicht in einem »leeren Raum zwischen Schöpfungs- und Versöhnungslehre« konstruiert werden[11]. Vielmehr ist »die Frage nach

[11] *Karl Barth:* Kirchliche Dogmatik, 4. Bd.: Die Lehre von der Versöhnung, 1. T., Zollikon-Zürich 1953, S. 155. Die Seitenangaben im obigen Text beziehen sich auf diesen Band.

der Sünde ... vom Evangelium her und also im Rahmen der *Versöhnungslehre* zu stellen und zu beantworten« (S. 156). Diese Lehre aber beruht auf einer »christologischen Grundlegung« (S. 462 und 312). Von Jesu Christi Offenbarung her werden die Lehren von Sünde, Versöhnung und Rechtfertigung entwickelt.

Für die *Hamartologie* ergibt sich von hier aus, daß Sünde Hochmut, Trägheit und Lüge ist. Die Gnade Gottes wird abgewiesen, obwohl er sich uns selbst gibt, uns sucht und »nicht über unsern Kopf weg« handelt. Sein Gebot wird mißachtet, durch das wir aufgefordert werden, diese hohe Gabe anzunehmen, entsprechend zu handeln und gegenüber der »uns gesagten Wahrheit« gehorsam zu sein (S. 156–158). Der Sünder wird als »der zukunftslose Mensch« bezeichnet. Zugleich aber wird betont, daß die Sünde »keine selbständige, sondern nur, als das dem göttlichen Ja sich entgegensetzende Nein, auf jenes bezogen, ihm widerstreitende Wirklichkeit« ist. Die Sünde wird also theologisch oder genauer: christologisch interpretiert. Man kann sie weder in ihrem Wesen noch in ihrer Wirklichkeit erkennen, wenn man nicht auf den Gottessohn blickt. Ihre Überwindung geschieht durch »die Gnadentat Gottes in Jesus Christus« (S. 158). Er ist der Urheber des Heils, auf ihn geht die den Menschen zuteil gewordene Versöhnung zurück.

Aber auch »*der Heilige Geist* als der Geist Jesu Christi« hat Anteil am Rechtfertigungsgeschehen. Er erweckt, belebt und erleuchtet. Durch ihn werden Gottes Urteil, Weisung und Verheißung erkannt, durch die Glaube erweckt, Liebe lebendig gemacht und Hoffnung hervorgerufen werden (S. 166–169). Es handelt sich bei der Versöhnung also um ein Werk Gottes. Denn es geht hier um »Gottes in Jesus Christus gesprochenes *Urteil,* durch welches des Menschen *Rechtfertigung* vollzogen ist« (S. 160).

Karl Barth polemisiert gegen Schleiermacher, der nur die »Selbstinterpretation des christlich frommen Selbstbewußtseins« behandelt habe und nicht dessen Voraussetzungen, obwohl doch »der Glaube von seinem *Gegenstand,* die Liebe von ihrem *Grund,* die Hoffnung von ihrem *Unterpfand*« lebe. Es wird nicht nur darauf Wert gelegt, daß dies alles Jesu Christi Werk ist, sondern auch darauf, daß sich dies »in der *Gemeinde* Gottes« vollzieht, »dann und so erst als sein Werk in den einzelnen Christen« (S. 169). Der »Ort« der Versöhnungslehre ist also die Christenheit. Die Rechtfertigung des einzelnen Menschen ist sekundär[12].

---

[12] Barth formuliert das auch so: »Es geht wohl um *unsere* Existenz, aber um unsere Existenz *in Jesus Christus* als unsere *wahre* Existenz; es geht also um Ihn und nicht um uns – um uns gerade nur insofern, als es ganz und ausschließlich um Ihn geht« (a.a.O. S. 170).

Um die Grundlegung von Versöhnung und Rechtfertigung bemüht Barth sich auch, wenn er von dem »Richter als dem an unserer Stelle Gerichteten« spricht (S. 231ff.). Er verweist darauf, daß nur Gnade die Sendung des »Sohnes als Heiland der Welt« ermöglicht habe. Dieser Heiland ist zugleich Richter und Gerichteter und rechtfertigt, während »die ganze Welt Gott gegenüber aufs Höchste einig und entschlossen (ist), daß sie ihre Rechtfertigung nicht von ihm, sondern von sich selbst erwartet« (S. 237 bis 241). Das aber ist die »Wurzel und Quelle« aller Sünden: »die Anmaßung, in der der Mensch selber sein eigener und seines Nächsten *Richter* sein will« (S. 254). Das Richten Jesu Christi dagegen bedeute »Demütigung und Bedrohung eines jeden Menschen«, aber auch »Befreiung und Hoffnung« (S. 255f.) – Demütigung, weil sein gerechtes Gericht nur eine Verurteilung zum Tode sein könne, und Befreiung, weil der Richter diese Strafe auf sich selber genommen habe. Durch des Menschen Sünde sei die Schöpfung gestört worden. Gott nehme das »nicht leicht, sondern ganz ernst«. Aber im Leiden des Sohnes sei die Sünde besiegt worden, so daß nicht nur der Richter und der Gerichtete identisch seien, sondern zugleich auch von ihm das Gericht vollzogen und an der Stelle der Menschen »das *Rechte* getan« worden sei (S. 260 und 280–300). In diesem Zusammenhang wird auch die Bedeutung der Auferweckung Jesu Christi unterstrichen: sie »ist das große *Gottesurteil,* der Vollzug und die Proklamation der göttlichen Entscheidung über das *Kreuzesgeschehen*« (S. 340).

Erst nach der Entwicklung der Christologie kommt Karl Barth zur Anthropologie – nur so könne die Denkbewegung verlaufen, nicht umgekehrt, zumal als »Prinzip der Versöhnungslehre ... nur Jesus Christus selbst« bezeichnet wird, aber »nicht die Rechtfertigung« (S. 396 und 160). Es geht also auch und gerade hier um Gott, nur dann und in Verbindung damit auch um den Menschen[13]. Dieser wird im Spiegel des Gottessohnes gedeutet. Der Schweizer Theologe kommt hier nochmals auf die Sünde zu sprechen. Neben dem bereits Gesagten wird hier auf die Ohnmacht des Menschen verwiesen, der sich für mächtig hält und der »statt

---

[13] Mit dieser Einordnung der Rechtfertigungslehre in Gotteslehre und Christologie hängt Barths Weigerung zusammen, diese Lehre »als Mitte und Grenze reformatorischer Theologie« anzuerkennen. Er meint: Die Rechtfertigungslehre »war nun einmal auch in der Kirche Jesu Christi nicht immer und nicht überall *das* Wort *des* Evangeliums ...Gerade des Menschen Rechtfertigung und gerade das Vertrauen auf die objektive Wahrheit der Rechtfertigungslehre verbietet uns das Postulat, daß ihr theologischer Vollzug in der wahren Kirche *semper, ubique et ab omnibus* als das *unum necessarium* ... angesehen und behandelt werden müsse« (a.a.O. S. 581–584).

Knecht Herr sein« möchte (S. 465 und 483). Aber was er tut, sei nur »*das Böse*, aus dem etwas anderes als das *Übel* nicht erwachsen kann«. Hierzu wird er verleitet, weil er nicht weiß, wer Gott ist. Er hält ihn für ein Wesen, das für sich sein mag, das aber nicht für den Menschen bedeutsam ist. Dies ist das »entscheidende Mißverständnis«: das »Mißverständnis *Gottes*«. Die Menschen haben sich viele Vorstellungen von ihm gemacht, aber »*alle Ideen Gottes sind als solche falsch*« (S. 516, 468, 518 und 520).

Der Mensch, der so handelt, sei »der gefallene«, »ein Knecht, ein Sklave«, Gottes »zahlungsunfähiger Schuldner« (S. 531 und 538). Gott begegnet ihm »in der *Fremdgestalt* des ihm zürnenden« (S. 545). Barth scheut – im Gegensatz zu Ritschl, von dem er sich hier ausdrücklich distanziert – die Rede vom Zorn Gottes nicht. Aber diese ist doch nur eine »Fremdgestalt«, was also dem innersten Wesen Gottes nicht entspricht. Man fühlt sich hier an Luthers Aussagen vom opus alienum Gottes erinnert. Aber wohl um eine strenge doppelte Prädestinationslehre zu vermeiden, legt Barth doch mehr Gewicht auf die Gnade Gottes, als dies der Reformator getan hatte. Der Schweizer Theologe kann nämlich sagen, daß neben die Universalität der Sünde, der sich niemand entziehen kann, die Universalität des Erbarmens tritt: Durch Jesus Christus ist der Mensch der Sünde »keiner mehr ..., nachdem Gott sich *Aller* in eben der Universalität erbarmt hat, in der er zuvor sie *Alle* verschlossen hatte unter den Ungehorsam« (S. 573). Wenn dies keine billige Gnade sein soll[14], dann muß gefragt werden, wie sich Rechtfertigung vollzieht.

»Das dem menschlichen Unrecht zum Trotz im Tode Jesu Christi aufgerichtete und in seiner Auferstehung proklamierte Recht Gottes ist als solches der Grund eines neuen, ihm entsprechenden Rechtes auch des Menschen. In Jesus Christus dem Menschen zugesprochen, verborgen in Ihm und in Ihm einst zu offenbaren, ist es keinem Ersinnen, Erstreben und Vollbringen irgend eines Menschen zugänglich. Es ruft aber seine Wirklichkeit nach eines jeden Menschen Glauben als der ihm schon jetzt gemäßen Anerkennung, Besitzergreifung und Betätigung« (S. 573). Diese Definition von »des Menschen Rechtfertigung«[15] zeigt nicht nur deren christologische Begründung, sondern auch die durch Jesus Christus ermöglichte Durchführung. Es geht um »das *Gericht* und *Urteil* des ... gnädigen Gottes ... über ... den sündigen Men-

---

14 Gegen eine solche Interpretation der Gnade wehrt Barth sich im Anschluß an Bonhoeffer vehement (a.a.O. S. 237).
15 Vgl. dazu diejenige Schleiermachers im Abschnitt 5.3!

schen« und um dessen Veränderung. Nach Barth ist in der Rechtfertigungslehre zu sagen, »daß es wirklich so ist, daß Gott uns in demselben Gericht, in welchem er uns als Sünder anklagt, verurteilt und in den Tod gibt, freispricht und freistellt zu einem neuen Leben vor ihm und mit ihm« (S. 573 und 575).

Hier ergibt sich nun das, was Karl Barth das Problem der Rechtfertigungslehre nennt: Wie können Gerechtigkeit und Gnade zugleich von Gott angewendet werden? Der Schweizer antwortet darauf, daß es ein Recht geben müsse, das unserem Unrecht überlegen sei, und daß dieses »höhere Recht«, »das Recht Gottes«, das höchste Gesetz sei, das denkbar ist: »Gott, der in des sündigen Menschen Rechtfertigung und also als der gnädige Gott auf dem Plan ist und handelt, hat Recht und ist im Recht« (S. 589f. und 592). Es wird die rhetorische Frage gestellt: »Wo wäre die *Freiheit* Gottes offenbarer als in des sündigen Menschen Rechtfertigung?« Und es wird die These formuliert: »Gott bejaht in dieser Aktion allererst *sich selbst*« (S. 590 und 593). Es geht also auch in der Rechtfertigung primär nicht um den Menschen – die streng theologisch-christologische Betrachtung wird auch hier aufrecht erhalten[16]. Allerdings besteht dann die Gefahr, daß die Fragen des Menschen nur von sekundärer Bedeutung sind, so daß der, der diese theologische Betrachtungsweise nicht nachzuvollziehen vermag, des *Menschen* Rechtfertigung nicht erklärt findet. Immerhin wird aber »des Menschen Rechtfertigung durch Gott« als »ein *Ereignis*« zwischen Gott und dem Menschen bezeichnet, nicht als eine »ruhende Beziehung zwischen ihrem Sein« (S. 608), so daß das Thetisch-Starre von hier begrenzt und in Bewegung gebracht erscheint.

Auf jeden Fall aber hält Barth fest, daß das Rechtfertigungsurteil nur ein Urteil *Gottes* über den Menschen ist. Inhaltlich ist die Rechtfertigung »der göttliche Freispruch des *sündigen* Menschen«. Zwar bleibt der Freigesprochene noch Sünder, da die Rechtfertigung nur eine »*anhebende*« ist. Aber für wichtiger als dies, daß der Gerechtfertigte ein »gerechtfertigter *Sünder*« ist, hält Karl Barth, daß er ein »*gerechtfertigter* Sünder« ist (S. 635, 640, 642 und 659). Durch Gottes Urteil wird der Mensch nämlich in Bewegung gebracht: er löst sich von seiner Vergangenheit und geht in die ihm eröffnete Zukunft. Er ist als der Gerechtfertigte zwar noch Sünder, aber zugleich doch der »neue Mensch«,

---

[16] Barth formuliert einmal: Gott betätigt sich im Rechtfertigungsgeschehen als in »seinem Rechte. Das ist die Bedeutung der Rechtfertigung für ihn selber. In diesem Sinne ist es wahr, daß Gott in ihr zuerst und vor allem *sich selbst rechtfertigt*« (Kirchliche Dogmatik 4,1, S. 627).

der in »das Recht des *Kindes* Gottes« und »in den Stand der *Hoffnung*« eingesetzt wurde (S. 661 und 667–671). Das simul iustus et peccator wird also zusammen mit dem synthetischen Urteil Gottes gelehrt, aber der Nachdruck liegt unüberhörbar auf der Erneuerung des Menschen. Barth kann sogar sagen, daß der alte Mensch »vertilgt« werde (vgl. S. 102).

Erst am Ende seiner Rechtfertigungslehre kommt er auf »die Rechtfertigung allein durch den Glauben« zu sprechen. Dabei legt er Wert darauf, daß dies nicht so verstanden wird, daß der Mensch sich durch den Glauben »selber freispräche und also rechtfertigte« (S. 687). Vielmehr ist der Glaube »ganz und gar *Demut*«, und zwar »keine selbsterwählte« und »keine erzwungene« Demut, sondern »die Demut des Gehorsams« (S. 690 bis 692). Der Glaube hält sich an Gottes »gnädiges Urteil«, dem er sich unterwirft. Aber auch dies ist nicht menschliches Tun, sondern das »Werk des Heiligen Geistes« (S. 103). Damit dies nicht mißverstanden wird, geht Barth dem Zusammenhang von Heiligem Geist und christlichem Glauben nach. Er meint, der Glaube sei »eine menschliche Tätigkeit, an Spontaneität, an ursprünglicher Freiheit sogar mit keiner anderen zu vergleichen«. Zugleich aber sei er angesichts der »Wirklichkeit« Jesu Christi »unvermeidlich«: Jesus Christus als »Gegenstand des Glaubens« drängt »sich dem Menschen in seiner Notwendigkeit auf« und begründet »eben damit seinen Glauben« (S. 828f., 831 und 834f.). Menschliche Spontaneität und Übermacht Gottes gehören also beim Glauben zusammen. Wo jemand Christus anerkennt, da besitzt dies nicht »kreatorischen, sondern nur *kognitiven* Charakter«. Aber auch das Kreatorische fehlt nicht: Durch den Glauben »geschieht ... die Konstituierung des *christlichen Subjektes*« (S. 839f. und 837), hier wird die Zukunft des neuen Menschen eröffnet. Der Glaube anerkennt, erkennt und bekennt den, der die Sünde vergeben hat (S. 847). Barth meinte, man könne »den Verweis auf Jesus Christus als den Gegenstand und Inhalt – und nun also auch als die gestaltende Norm – des rechtfertigenden Glaubens wohl die *Krone* der Rechtfertigungslehre nennen« (S. 711).

Aber auch auf das Werk des Heiligen Geistes wird hingewiesen. Mit ihm ist die Existenz der Christenheit verbunden, die »die vorläufige Darstellung der ganzen in Ihm (Jesus Christus) gerechtfertigten Menschenwelt« bildet (S. 718). Die in ihr vorhandene Heiligkeit wird als »der Reflex der Heiligkeit Jesu Christi« und »als Gabe seines Heiligen Geistes« bezeichnet (S. 774). Aber auch der einzelne Christ ist sodann – sekundär, wie wir gesehen haben – auf das Handeln des Geistes angewiesen. Dieses ereignet sich aufgrund der ihm eignenden Macht, so daß Rechtfertigung,

Heiligung[17], Glaube, Liebe und Freiheit ermöglicht und verwirklicht werden[18].

Die Geschlossenheit dieser streng theologischen Sicht läßt sich nicht bestreiten. Sie ist – wir wir uns klargemacht haben – mit aus dem Gegensatz zur vorhergehenden Theologie entstanden. So einseitig man dort vom Menschen ausgegangen war, so konsequent werden hier Offenbarung und Wort Gottes als die allein entscheidenden Maßstäbe angewendet. Es ist deutlich, daß hier viele reformatorische Lösungen wiederkehren. Aber es wird zugleich doch auch der Akzent allzu stark auf die Gnade und das rettende Handeln Gottes gelegt. Das wird auch erkennbar aus Karl Barths Ausführungen über Evangelium und Gesetz. Er erklärt dort, daß »das Gesetz im Evangelium, vom Evangelium her und auf das Evangelium hin« sei. Es wird sogar gesagt, daß die Gnade, weil sie frei und souverän sei, »auch Gesetz sein« könne, oder daß das Gesetz »die notwendige *Form des Evangeliums* sei«, »dessen Inhalt die Gnade ist«[19]. Dies bringt wieder den göttlichen Rettungswillen in einem Maße zum Ausdruck, daß an eine Versöhnung aller Menschen gedacht werden kann. Es ließ sich deswegen absehen, daß diese protestantische Interpretation der Rechtfertigungslehre nicht unbestritten bleiben würde.

Lesevorschlag

Karl Barth: Gesetz und Evangelium (Theologische Existenz heute, N. F. Nr. 50), München 1956.

Literaturhinweise

Hans Urs von Balthasar: Karl Barth. Darstellung und Deutung seiner Theologie, 2. Aufl., Köln 1962. – *Karl Barth:* Kirchliche Dogmatik, Bd. 4/1–4, Zollikon-Zürich 1953–1967. – *Ders.:* Rechtfertigung und Recht (Theologische Studien, H. 1), Zollikon 1938. – *Ders.:* Die Wirklichkeit des neuen Menschen (Theologische Studien, H. 27), Zollikon-Zürich 1950. – *G. C. Berkouwer:* Der Triumph der Gnade in der Theologie Karl Barths, Neukirchen 1957. – *Emil Brunner:* Natur und Gnade. Zum Gespräch mit Karl Barth, Tübingen 1934. – *Edgar Herbert Friedmann OSB:* Christologie und Anthropologie. Methode und Bedeutung der Lehre vom Menschen in der Theologie Karl Barths (Münsterschwarzacher Studien, Bd. 19), Münsterschwarzach 1972. – *Wilfried Härle:* Die Theologie des »frühen« Karl Barth in ihrem Verhältnis zu der Theologie Martin Luthers, Diss. Bochum, Witten/Ruhr 1969. – *Bertold Klappert:* Promissio und Bund. Gesetz und Evangelium bei Luther und Barth (Forschungen zur systematischen und ökumenischen Theologie, Bd. 34), Göttingen 1976. – *Wolf Krötke:* Sünde und Nichtiges bei Karl Barth (Theologische Arbeiten, Bd. 30), Berlin 1971.

[17] Mit der Heiligung, die mit der Rechtfertigung »unzertrennlich verbunden« ist, befaßt Karl Barth sich im 2. Teil des 4. Bandes seiner »Kirchlichen Dogmatik« (Zollikon-Zürich 1955, S. 565ff.).

[18] Vgl. dazu die weiteren Teile des 4. Bandes der Kirchlichen Dogmatik!

[19] *Karl Barth:* Gesetz und Evangelium (Theologische Existenz heute, N. F. Nr. 50), München 1956, S. 5f. und 13 (erste Aufl. 1935).

6.3 Gesetz und Evangelium – Werner Elert

Die Betonung des Offenbarungsbegriffes durch die dialektische Theologie führte nach *Werner Elerts* (1885–1954) Meinung zu einer Vermischung von Gesetz und Evangelium und dadurch zu einer Verfälschung der Rechtfertigungslehre. Wer Gericht und Gnade nicht streng zu unterscheiden vermag, gefährdet nach seiner Auffassung sowohl das Gewicht des Gesetzes als auch die Befreiung durch das Evangelium.

Daß Elert in bezug auf »das Selbstverständnis des Menschen unter der Verborgenheit Gottes«, also vor der Offenbarung des Evangeliums, vom »Schicksal« sprach[20], legt den Verdacht nahe, daß sich seine Ausführungen über das Gesetz verselbständigen und ablösen von Gott in Christus. *Der verborgene Gott* könnte dann so etwas wie ein unnachsichtiger Richter sein, der nur Tod und Verderben kennt. Obwohl Elerts Wortwahl nicht immer diesen Verdacht als ganz und gar unbegründet erscheinen läßt, muß aber doch darauf hingewiesen werden, daß nach seiner Meinung auch das Schicksal sich selbst »widerspricht«. Eine Eindeutigkeit zur Vernichtung liegt also nicht einmal »unter der Verborgenheit Gottes« vor. Vor allem aber ist Elerts Theologie eine christliche, so daß von einer Auflösung des Monotheismus keine Rede sein kann. Die Unterscheidung von Gesetz und Evangelium führt nicht zu deren sachlicher Trennung, sondern zu einer *Überordnung des Evangeliums*[21], die Gottes Gnadenwillen als sein letztes Wort – mit Luthers Worten: als sein opus proprium – erweist.

Dies geht auch daraus hervor, daß Elert in seiner Dogmatik zunächst vom Evangelium als Bericht und Anrede sowie vom Glauben spricht, bevor er sich mit dem Gesetz befaßt. Dadurch wird nämlich deutlich, daß christliche Theologie ihr Zentrum in Christus besitzt, von dem das Evangelium erzählt, wobei dem demonstrativen Inhalt »ein Adhortativ« zur Seite tritt. Hierauf legt Elert großen Wert. Denn Gesetz und Evangelium können nach seiner Meinung nicht durch die Form unterschieden werden – etwa als Imperativ und Indikativ –, sondern *was Gesetz oder was Evangelium ist, entscheidet sich allein am Inhalt*. So sei der Satz: »Laßt euch versöhnen mit Gott!« (2 Kor 5,20) Evangelium und nichts anderes. Der Adhortativ werde ge-

20 W. *Elert:* Der christliche Glaube. Grundlinien der lutherischen Dogmatik, 3. Aufl., Hamburg 1956, S. 59ff., bes. S. 89–109.
21 W. *Elert:* Zwischen Gnade und Ungnade. Abwandlungen des Themas Gesetz und Evangelium, München 1948, S. 169.

braucht, damit die Hörer zweifelsfrei wissen, »daß sie ... gemeint sind«[22]. Der Mensch besitzt die Möglichkeit, das Evangelium abzulehnen – das gehe aus der ermahnenden Form eindeutig hervor. Von einer Überwältigung des Menschen durch den gnädigen Gott kann also nicht gesprochen werden. Vielmehr entscheidet sich der Angeredete. Wer sich vom Evangelium gemeint weiß, antwortet ihm mit Glauben: »Der Glaube ist die Gewißheit, daß das gepredigte Wort und also auch dessen berichtender und ermahnender Inhalt *mir* gilt.«[23]

Dazu tritt nun das Gesetz, das nach Elert nicht einfach dem Evangelium koordiniert oder heilsgeschichtlich als Vorstufe desselben hingestellt werden kann. Es wurde vielmehr »verhängt« und gilt auch dort, wo es in seiner geschriebenen Form unbekannt ist. Seine »fatale Folge« besteht darin, »daß es ein Übermaß von Sünde hervorruft«. Der Erlanger Theologe verweist darauf, daß es nach Paulus keine Gerechtigkeit durch das Gesetz gibt, sondern daß durch dasselbe die Sünde »erkennbar« und »mächtig« wird[24]. »Gott ist Subjekt« des Gesetzes, »der Mensch erleidendes Objekt«[25].

Gesetz und Evangelium werden mit *Gottes Zorn und Gnade* in Verbindung gebracht: Alle Menschen stehen unter dem Zorn, weil sie Sünder und vor Gott unentschuldbar sind. Zugleich aber gilt allen die Gnade, die durch das Evangelium mitgeteilt und zu deren Annahme aufgefordert wird. Elert ist der Meinung, daß die Offenbarung Gottes »in sich zwiespältig« sei. Er scheint diese problematische Formulierung aber zurückzunehmen, wenn er von der »theologischen Bedeutung« des Gesetzes im Verhältnis zum Evangelium und von dem kausalen Zusammenhang zwischen beiden spricht. Damit ist gemeint, daß das Evangelium »uns zum Glauben nötigt, *weil* uns das Gesetz Gottes gilt«[26]. In ihrem Sachgehalt widerstreiten die beiden Worte Gottes einander. Sie machen sich auch ihr Gebiet, nämlich die Menschheit, streitig. Das ist durch Jesus Christus offenbar geworden, der die Geltung von Gesetz und Evangelium betonte, der aber auch zum Opfer des Gesetzes wurde und die Glaubenden von dessen Fluch befreite. In ihm wird zugleich auch »die Identität des Gottes der

[22] *Elert:* Der christliche Glaube, S. 120f.
[23] A.a.O. S. 126.
[24] A.a.O. S. 131f.
[25] *Leo Langemeyer:* Gesetz und Evangelium. Das Grundanliegen der Theologie Werner Elerts (Konfessionskundliche und kontroverstheologische Studien, Bd. 24), Paderborn 1970, S. 153.
[26] Vgl. *Elert:* Der christliche Glaube, S. 140.

Gesetzgebung und des Gottes, der uns liebend zuvorerkannt hat, erkennbar und unzweifelhaft.«[27]

Werner Elert kommt in diesem Zusammenhang auch auf die Sünde zu sprechen. Die »Hauptsünde« ist jene, die »mit dem Anfang unserer Existenz gesetzt und mit ihrem Gesamtverlauf untrennbar verknüpft« ist, durch die wir uns im Widerspruch zu dem befinden, »der über uns verfügt«. Dieser Gegensatz gegen den Schöpfer ist mit dem Menschsein als solchem verbunden. Die Schuld, die daraus entsteht, kann nicht dadurch gemildert werden, daß es letztlich Gott ist, der »den Menschen das Herz verstockt«. Vielmehr werden wir hier nach Elert auf den Deus absconditus gewiesen, der für uns »der absolut Fremde«[28] ist. Gesetz und Evangelium gehen also nicht auf zwei Götter zurück wie bei Marcion. Sie sind vielmehr die beiden Worte des einen, uns offenbarten und zugleich auch unbegreiflichen Gottes. Es ist die Frage, wie auf diesem Hintergrund der Dialektik von Gesetz und Evangelium Rechtfertigung möglich wird.

Der Terminus »*Rechtfertigung*« wird als aus der Rechtssprache kommend erklärt. Rechtfertigung ist – so Elert – gefordert durch das Gesetz. Diese Notwendigkeit werde durch das Evangelium nicht aufgehoben. Das Gesetz selber eröffnet aber – wie wir gesehen haben – keinen menschlichen Weg zur Rechtfertigung. Deswegen wird die Rechtfertigung »als Akt Gottes an den Menschen« bezeichnet, wobei der Tod Christi als »Sühne für die Missetat aller« Menschen interpretiert wird. Die Versöhnung gelte aber nur denen, die sich »versöhnen *lassen*«. Auch hier wird also ein Eigenbeitrag des Menschen als erforderlich hingestellt. Er besteht im Bekenntnis der Sünden und der durch sie erwirkten Schuld. Die Gerechtsprechung durch Gott äußert sich dann nicht etwa darin, daß »unsere Sünden unwirklich« gemacht werden, »als ob sie gar nicht geschehen wären«. Vielmehr handelt es sich um einen »Begnadigungsakt«, durch den Gott »Gnade für Recht ergehen« läßt. Elert greift auch die alte Unterscheidung von Vergebung der Sünden und Zurechnung der Gerechtigkeit Christi auf, legt aber Wert darauf, daß diese »nicht den Gedanken an eine sachliche Trennung aufkommen« läßt. Wichtig ist ihm, daß in der Rechtfertigung dem »alten Menschen« sein Recht zuteil wird, nämlich der Tod, während dem »*glaubenden* Sünder die Auferstehung« geschenkt wird[29], so daß sich also auch hier die beiden Worte Gottes nebeneinander auswirken.

[27] A.a.O. S. 141–146.
[28] A.a.O. S. 153–155.
[29] A.a.O. S. 466–478.

Elert legt nun großen Wert darauf, daß die *Dialektik von altem und neuem Menschen* auch nach der Rechtfertigung gesehen wird. Er bestreitet nicht, daß im Gerechtgesprochenen die frühere Feindschaft gegen Gott »überwunden« werden kann, betont aber den Zusammenhang des neuen Menschen mit dem alten. Das kann sogar zu dem Satz führen: »Gerade um der Vergebung willen muß er (der neue Mensch) sich mit dem alten Menschen identisch wissen.« Hier ist die Frage, ob das, was protestantische Theologie unter »Heiligung« verstanden hatte, in seinem Gewicht anerkannt ist. Elert geht es dabei offensichtlich darum zu verhindern, daß dem Menschen die »eigene Verantwortlichkeit für sein ewiges Schicksal« aufgebürdet wird[30]. Aber dem hätte auch durch die Differenzierung von iustificatio und sanctificatio Genüge getan werden können. Die Identität von altem und neuem Menschen müßte durch das Neue der Gerechtsprechung begrenzt und in Frage gestellt werden. Immerhin ist aber durch diese überspitzte Aussage Luthers »simul« bewahrt: Auch der Gerechtfertigte hat die Sünde noch nicht ganz und gar überwunden, obwohl sie ihm ganz und gar vergeben ist.

Dadurch erhebt sich die Frage, wie die Rechtfertigung bewahrt werden kann, wenn sich die Sünde durchhält. Elert verschärft dieses Problem, wenn er den Existenzwandel als Akt bezeichnet[31] – das Christsein ist demnach kein Zustand, sondern ereignet sich immer neu[32]. Der Gefahr, daß sich das Leben des Christen in einzelne Entscheidungspunkte auflöst, entgeht der Erlanger Theologe nur dadurch, daß er das Moment des Beharrens und der Treue auf Gottes Seite unverbrüchlich gegeben sieht. Es gibt *Heilsgewißheit*, weil Christus für die Versöhnung bürgt. Gottes Zusage gilt für das gesamte Leben des Glaubenden.

Nachdem dies klargestellt ist, kann Elert auch von einem *»allmählichen Fortschreiten« in Erneuerung und Heiligung* sprechen, wobei allerdings »die letzte Vollendung im irdischen Leben« bestritten wird. Vielmehr geht es um die Zuwendung zu Gott in der Buße, in der »der Glaube an die Vergebung eingeschlossen« ist. Nur die Verweigerung der Vergebung durch den Menschen begrenzt diese. Wo aber die allen angebotene Vergebung angenommen wird, da gibt es »ein Ethos der Freiheit«[33].

Die *Freiheit* nennt Elert »das Letzte und Höchste, was vom Werk des Geistes zu sagen ist«. Freiheit meint Befreiung von

---

30 A.a.O. S. 479–481.
31 A.a.O. S. 482 und 484.
32 Auch Karl Barth spricht bei der Rechtfertigung von einem Ereignis (vgl. oben Abschnitt 6.2).
33 *Elert:* Der christliche Glaube, S. 485–490.

allen Bindungen, Erlösung von Sünden und früheren Gewohnheiten. Sie ist eine »Freiheit ohne Grenzen«. Aber auch sie steht nicht zur Verfügung des Menschen: »Sie ist vielmehr ein Verhältnis zwischen Gott und Mensch«, das auf das Werk des Heiligen Geistes zurückgeht[34]. Da aber Gottes Geist in der Kirche wirkt, die »nicht mehr unter dem Gesetz, geschweige vom Gesetz« lebt, »sondern von der Gnade, das heißt in der Freiheit«[35], wird der einzelne Christ an die Gemeinde gewiesen. Die Freiheit aber ist die Voraussetzung der Liebe, die das neue Verhältnis zwischen Gott und Mensch bestimmt[36]. Das letzte Wort innerhalb der Rechtfertigungslehre ist dann das der Liebe, die auch innerhalb der Ethik Elerts von großer Wichtigkeit ist.

Es ist nicht zu bezweifeln, daß hier unter Rückgriff auf die paulinisch-lutherische Tradition Fragestellungen wiederaufgegriffen und neu formuliert wurden, für die das Verständnis im deutschen Protestantismus am Anfang unseres Jahrhunderts verloren gegangen war. Die Interpretation der Rechtfertigung als einer göttlichen Handlung, die der Mensch als für sich bestimmt anzuerkennen vermag, war geeignet, den Blick wieder auf den zu lenken, von dem laut biblischer Aussagen das Heil abhängt. Die Polemik gegen den Offenbarungsbegriff und die Rede von den zwei Worten Gottes verlagern die Rechtfertigungslehre allerdings in einen Bereich, der zur Kritik herausfordern mußte. Aber gerade eine solch provozierende Meinung vermochte doch klarzumachen, wo sich die entscheidenden Fragen stellen.

Lesevorschlag

Werner Elert: Gesetz und Evangelium, in: *ders.:* Zwischen Gnade und Ungnade. Abwandlungen des Themas Gesetz und Evangelium, München 1948, S. 132–169.

Literaturhinweise

Paul Althaus: Werner Elerts theologisches Werk, in: Gedenkschrift für D. Werner Elert. Beiträge zur historischen und systematischen Theologie, Berlin 1955, S. 400–410. – *Wolfgang Berge:* Gesetz und Evangelium in der neueren Theologie (Aufsätze und Vorträge zur Theologie und Religionswissenschaft, H. 2), Berlin 1958. – *Peter Bläser:* Gesetz und Evangelium, in: Catholica 14, 1960, S. 1–23. – *Friedrich Duensing:* Gesetz als Gericht. Eine lutherische Kategorie in der Theologie Werner Elerts und Friedrich Gogartens (Forschungen zur Geschichte und Lehre des Protestantismus, 10. Reihe, Bd. 40), München 1970, S. 13–62. – *Werner Elert:* Das christliche Ethos. Grundlinien der lutherischen Ethik, 2. Aufl., Hamburg 1961. – *Ders.:* Der christliche Glaube. Grundlinien der lutherischen Dogmatik, 3. Aufl., Hamburg 1956. – *Wolf Krötke:* Das

34 A.a.O. S. 490–493.
35 *Elert:* Zwischen Gnade und Ungnade, S. 158.
36 *Elert:* Der christliche Glaube, S. 493.

Problem »Gesetz und Evangelium« bei W. Elert und P. Althaus (Theologische Studien, H. 83), Zürich 1965. – *Leo Langemeyer:* Gesetz und Evangelium. Das Grundanliegen der Theologie Werner Elerts (Konfessionskundliche und kontroverstheologische Studien, Bd. 24), Paderborn 1970. – *Gottlieb Söhngen:* Gesetz und Evangelium, in: Catholica 14, 1960, S. 81–105.

Schluß: Einig in der Rechtfertigungslehre?

Als Hans Küng starke Ähnlichkeiten zwischen der Rechtfertigungslehre Karl Barths und der des Tridentinums feststellte[1], vermochte das die Meinung zu verstärken oder auch erst hervorzurufen, daß es eigentlich keine relevanten Divergenzen in dieser theologischen Frage mehr gäbe[2]. Inzwischen ist mehrfach bezweifelt worden, ob Küngs Interpretation zutreffend sei, ob er nicht vielmehr die Äußerungen der Konzilsväter einseitig dargestellt habe[3]. Hermann Volk meinte: »Die Unterschiede zwischen katholischem und reformatorischem Verständnis der Rechtfertigung sind schmerzlich groß und nahezu allgegenwärtig in der ganzen Rechtfertigungslehre.«[4] Michael Schmaus hat den Dissensus, der im 16. Jahrhundert vorhanden war, als nicht an allen Stellen so tiefgehend gedeutet, wie er damals von den Beteiligten interpretiert worden war. Immerhin meint der katholische Dogmatiker aber, daß eine Divergenz bleibe. Er ist der Auffassung, »daß nach der katholischen Lehre die Sünde in eine metaphysische Dimension hineinreicht und die Sündenvergebung gerade diese metaphysische Dimension betrifft, während die evangelische Theologie nicht bis zur metaphysischen Dimension

---

1 *Hans Küng:* Rechtfertigung. Die Lehre Karl Barths und eine katholische Besinnung (Horizonte, Bd. 2), 3. Aufl., Einsiedeln 1961.
2 Vgl. oben die Einleitung.
3 Vgl. z. B. *Willems,* S. 36, oder *Hans Graß:* Gespräch über die Rechtfertigungslehre, in: Glaube – Geist – Geschichte. Festschrift für Ernst Benz, Leiden 1967, S. 125–134. Küng hat sich selber an den Auseinandersetzungen beteiligt mit dem Aufsatz: Zur Diskussion um die Rechtfertigung, in: Theologische Quartalschrift 143, 1963, S. 129–135. Vgl. auch *Reinhard Kösters:* Die Lehre von der Rechtfertigung unter besonderer Berücksichtigung der Formel Simul iustus et peccator. Zum Stand des kontroverstheologischen Gesprächs, in: Zeitschrift für katholische Theologie 90, 1968, S. 309–324.
4 *Hermann Volk:* Die Lehre von der Rechtfertigung nach den Bekenntnisschriften der evangelisch-lutherischen Kirche, in: Pro veritate. Ein theologischer Dialog. Festgabe für Erzbischof Jaeger und Bischof Stählin, Münster und Kassel 1963, S. 131.

vorstößt, sondern in der personal-existentiellen stehen bleibt«[5]. In der Tat werden einerseits häufig ontologische und andererseits geschichtliche Aussagen gemacht: Hier geht es um das Evangelium von Jesus Christus, dort um eine Seinslehre, bei der »das Handeln Gottes in der Geschichte« auf eine »ontologisch strukturierte Grundkonzeption mühsam« aufgepropft werden muß[6]. Gottfried Maron hat gefragt, ob nicht das römisch-katholische Verständnis von Kirche ein rechtes Erfassen der Rechtfertigung ausschließe, da »ein simul peccator et iustus ... für die Kirche nicht annehmbar« ist, so daß die Alternative lauten müsse: »Kirche oder Rechtfertigung«[7]. Andererseits wird aber auch zu untersuchen sein, ob die reformatorische Lehre nicht zu stark von der römisch-katholischen Theologie ihrer Zeit ausging und dadurch Positionen entwickelte, die verändert werden können und müssen[8].

Unser geschichtlicher Rückblick hat ergeben, daß im Laufe der Zeit eine Fülle von unterschiedlichen Rechtfertigungslehren erarbeitet worden ist. Ein Gleichklang wird auch in Zukunft nicht zu erwarten sein – nicht einmal im Bereich der einzelnen Konfessionen. Die Frage ist aber auch nicht nur, ob man hier oder dort ähnlich formuliert, sondern welchen Ort diese Lehre im jeweiligen System erhält. Ernst Wolf war der Meinung, die Rechtfertigungslehre sei die Mitte und Grenze reformatorischer Theologie. Er verstand diese Lehre als »die jeweils unaufgebbare Besinnung auf die Lebensmitte der Kirche in ihrer theologischen Selbstprüfung«. Für Luther sei nicht mehr – wie in der Scholastik – der trinitarische Gott Gegenstand der Theologie gewesen, »sondern ein konkretes geschichtliches Ereignis, Gottes Heilshandeln mit dem Sündermenschen«. Deswegen sei die Rechtfertigungslehre nicht eine Lehre neben anderen, sondern hier werde »das Ganze des Leben wirkenden Wortes Gottes« ausgesagt. Alles sei »auf sie bezogen; ... alles, was außerhalb des

---

[5] *Michael Schmaus:* Katholische Dogmatik, 3. Bd., 2. T., 6. Aufl., München 1965, S. 123.

[6] Vgl. *Wilhelm Dantine:* Die Rechtfertigungslehre in der gegenwärtigen systematischen Arbeit der evangelischen Theologie, in: EvTh 23, 1963, S. 251.

[7] *Gottfried Maron:* Kirche und Rechtfertigung. Eine kontroverstheologische Untersuchung, ausgehend von den Texten des Zweiten Vatikanischen Konzils (Kirche und Konfession, Bd. 15), Göttingen 1969, S. 189 und 267.

[8] Dies ist etwa in bezug auf den meritum-Begriff festgestellt worden, vgl. *Vilmos Vajta:* Sine meritis. Zur kritischen Funktion der Rechtfertigungslehre, in: Oecumenica. Jahrbuch für ökumenische Forschung 1968, S. 146–194.

durch diese Mitte Bestimmten und Zusammengefaßten liegt, ist ›error et venenum‹ in theologia« (so nach Luther)[9].

In der Tat ist die Rechtfertigung nicht so sehr »Lehre« als vielmehr Maßstab der Verkündigung. Wer sie in ein System einfängt und ihr die Lebendigkeit raubt, die ihr für die Kirche und den Glaubenden eignet, der verfehlt nach der Meinung des Wittenbergers die Aufgabe der Theologie. Darum wird es weniger auf Formeln ankommen – die Kunst, sie zu interpretieren, reicht weit –, sondern auf die Stelle, die der Predigt von der Rechtfertigung des Gottlosen eingeräumt wird. Betrachten wir dies, so stellen wir fest, daß nicht einmal überall im Protestantismus dieser Botschaft das Zentrum zugebilligt wird[10]. Aber insgesamt kann doch davon gesprochen werden, daß die Rechtfertigungslehre gegenwärtig wieder mehr Beachtung findet als am Anfang unseres Jahrhunderts[11].

Das bedeutet aber nicht, daß sie deswegen leichter verständlich gemacht werden könnte. Es hat sich herausgestellt, daß dies vielmehr ungemein schwierig ist[12]. Wenn auf »die ohnmächtige Passivität« verwiesen wird, »zu der wir uns immer wieder verurteilt finden«, obwohl wir doch unser »ganzes Selbstbewußtsein« in unserer »Tat und Leistung begründen«, so ist in der Tat der Weg zu Luthers Erfahrung dessen, was er den »Zorn Gottes« nannte, nicht weit[13]. Man hat sich auch das »neue Weltverständnis« klargemacht, »in dem sich der Mensch als allgemeine Macht des Endlichen begreift, vor der sich alles zu rechtfertigen hat«. Aber die Erfahrung zeige, daß die gestellten Aufgaben keineswegs leicht oder gar selbstverständlich vom Menschen gelöst werden können. Er erfahre seine Freiheit als eine »gebrochene«,

9 *Ernst Wolf:* Die Rechtfertigungslehre als Mitte und Grenze reformatorischer Theologie, in: EvTh 9, 1949/50, S. 299–302 (wieder abgedruckt in: *ders.:* Peregrinatio II. Studien zur reformatorischen Theologie, zum Kirchenrecht und zur Sozialethik, München 1965, S. 11–21); vgl. auch *Wilhelm Dantine:* Die Gerechtmachung des Gottlosen. Eine dogmatische Untersuchung, München 1959.

10 Vgl. *Karl Barth,* oben Abschnitt 6.2, und auch *Jochen Tolk:* Wider die Dogmatisierung der Rechtfertigungslehre, in: ZThK 67, 1970, S. 87–97.

11 Vgl. *Karl Holl:* Was hat die Rechtfertigungslehre dem modernen Menschen zu sagen?, in: *ders.:* Gesammelte Aufsätze zur Kirchengeschichte, Bd. 3, S. 558f.

12 Hier ist vor allem daran zu denken, daß es dem Lutherischen Weltbund 1963 bei seiner Tagung in Helsinki nicht gelungen ist, eine Aussage über die Rechtfertigung vorzulegen, vgl. Rechtfertigung heute. Studien und Berichte. Hg. von der Theologischen Kommission und Abteilung des Lutherischen Weltbundes (Beiheft zur »Lutherischen Rundschau«), Stuttgart 1965.

13 *Eberhard Leppin:* Luthers Frage nach dem gnädigen Gott – heute, in: ZThK 61, 1964, S. 89–102.

so daß er schließlich einen Ort der wirklichen Hilfe suche, von wo aus ihm die Überwindung der »gesellschaftlichen Zwänge der technischen Zivilisation« möglich sei[14]. Ist eine solche Stelle gefunden, dann ist »heilsame Freiheit« möglich[15].

Die Rechtfertigungsfrage hängt – wie wir gesehen haben – aufs engste mit der Gottesfrage zusammen. Wo es gelingt, von dem gnädigen Vater Jesu Christi glaubenerweckend zu sprechen, der uns nicht nur »Mut zum Sein«, sondern auch *neues Sein* zuteil werden läßt, da wird auch die Bedeutung des Rechtfertigungsgeschehens unmittelbar einsichtig. Diese Lehre muß nicht kirchentrennend sein. Daß aber keine gewichtigen Differenzen zwischen den verschiedenen Interpretationen vorlägen, kann nicht behauptet werden. Ein unaufgebbares evangelisches Erbe liegt darin, auf das erbarmende Handeln Gottes an dem hinzuweisen, der darauf ganz und gar angewiesen ist: der Mensch.

[14] Rechtfertigung im neuzeitlichen Lebenszusammenhang. Studien zur Interpretation der Rechtfertigungslehre, hg. von *Wenzel Lohff* und *Christian Walther*, Gütersloh 1974, S. 7–29.

[15] *Wenzel Lohff:* Überlegungen zur gegenwärtigen Bedeutung der reformatorischen Lehre von »Gesetz und Evangelium«, in: Denkender Glaube. Festschrift Carl Heinz Ratschow, Berlin und New York 1976, S. 237–249; vgl. auch *Gustaf Wingren:* Heil und Wohl des Menschen in biblischer und aktueller Sicht, in: a.a.O. S. 250–258, *Gerhard Gloege:* Die Grundfrage der Reformation – heute, in: KuD 12, 1966, S. 1–13, und *Albrecht Peters:* Das Ringen um die Rechtfertigungsbotschaft in der gegenwärtigen lutherischen Theologie, in: Theologische Strömungen der Gegenwart, Beiträge von *Eberhard Hübner, Albrecht Peters, Wenzel Lohff* und *Herbert Braun,* 2. Aufl. (Evangelisches Forum, Heft 4), Göttingen 1967, S. 24–44.

Exkurs:
Die Erarbeitung eines theologiegeschichtlichen Querschnittes:
Die Rechtfertigungslehre in den lutherischen Bekenntnisschriften

1. Vorfragen

Ob man sich ein Thema wählt oder eines gestellt bekommt – in jedem Fall gilt es zunächst zu klären, was die Aufgabe beinhaltet. Für uns heißt das[1]: Welche lutherischen Bekenntnisschriften gibt es? Wo finden sich in ihnen Aussagen über die Rechtfertigungslehre? Wer sich die Quelle klargemacht hat, nämlich das Konkordienbuch von 1580, hat zu entscheiden, ob er sich zunächst mit ihr befaßt oder aber Sekundärliteratur zu Rate zieht. Für Letzteres spricht, daß schon viele über dieses Thema nachgedacht haben, die eigene Erkenntnis der Rechtfertigungslehre in den lutherischen Bekenntnisschriften dadurch also erleichtert wird. Andererseits besteht dabei aber die Gefahr, später nicht mehr auf die Quelle hören zu können, weil die Lösungen in der Literatur nur noch auf das aufmerken lassen, was man durch deren Lektüre erwartet. Aber irgendein Vorverständnis trägt jeder an die von ihm befragten Schriften heran. Die Aufgabe einer »kritischen« Arbeit besteht deswegen gerade darin, zu richten, zu scheiden, alte Lösungen nicht unbesehen zu übernehmen, sondern sie auf ihre Richtigkeit hin zu prüfen. Außerdem antworten Texte nur auf Fragen. Wer keine Probleme an Quellen heranträgt, erfährt auch nichts von ihnen. Deswegen dürfte sich in diesem Fall tatsächlich der Ausgangspunkt bei der Sekundärliteratur nahelegen, die so umfangreich ist und in der so unterschiedliche Meinungen vorgetragen werden, daß dadurch die Gefahr geringer wird, sich von einem einzigen Autor in seinem Verstehen behindern zu lassen.

Das Konkordienbuch ist in der Ausgabe »Die Bekenntnisschrif-

---

[1] Für allgemeine Fragen – ich beschränke mich hier auf das genannte Thema – vgl. *Martin Greschat / Klaus Haendler / Claus Rietzschel / Alfred Suhl / Peter Weigandt:* Studium und wissenschaftliches Arbeiten. Eine Anleitung, 2. Aufl., Gütersloh 1970, S. 46–131.

117

ten der evangelisch-lutherischen Kirche«[2] zugänglich. Die Sekundärliteratur ist mit Hilfe von Bibliographien leicht auffindbar. Da es darauf ankommt, möglichst neue Bücher und Aufsätze zu finden, weil in ihnen – wenn es sich um wissenschaftliche Werke handelt – die älteren Arbeiten verzeichnet sind, empfiehlt es sich in diesem Fall, den »Literaturbericht«, der seit 1972 als Beiheft zum »Archiv für Reformationsgeschichte« erscheint, die Bibliographie im »Lutherjahrbuch« oder diejenige der »Revue d'histoire ecclésiastique« zu Rate zu ziehen. Artikel in Lexika geben eine weitere Orientierungshilfe.

Wer eine geschichtliche Arbeit angeht, hat sich den historischen Rahmen klarzumachen: Wann entstanden die lutherischen Bekenntnisschriften? An wen richten sie sich? In welchem Zeitraum wurden sie geschrieben? Gegen welche Gegner grenzt man sich ab? Das ist bei den lutherischen Bekenntnisschriften sehr unterschiedlich: Während Luthers Katechismen für die evangelischen Gemeinden und Pfarrer bestimmt waren, ist das Augsburger Bekenntnis an Kaiser Karl V. gerichtet. Die Konkordienformel – 1577 entstanden –, während die übrigen Schriften zwischen 1528 und 1537 verfaßt wurden, ist dagegen ein Dokument, durch das sich lediglich die deutschen Lutheraner zu verständigen suchten[3]. Wer sich mit Hilfe von Sekundärliteratur und Quellen einen Überblick verschafft hat, wird sich fragen, welche Darstellungsart angemessen ist. Es empfiehlt sich nicht, nach Verfassern zu ordnen, also Luthers Katechismen und die Schmalkaldischen Artikel für sich zu behandeln, worauf dann die auf Melanchthon zurückgehenden Arbeiten folgen könnten (Confessio Augustana, Apologie und Tractatus de potestate et primatu papae), während die Konkordienformel einen besonderen Platz einnähme[4]. Denn Melanchthons Arbeiten sind nicht so sehr persönliche Dokumente, sondern Zusammenfassungen dessen, was in den protestantischen Gemeinden gelehrt wird. Ähnliches gilt für die Schmalkaldischen Artikel, während die Formula Concordiae auf mehrere Verfasser zurückgeht. Es sind also nicht individuelle Theologien zu erheben, sondern es ist festzustellen, was über die Rechtfertigung insgesamt in den lutherischen Bekenntnisschriften

[2] Vgl. »BS« im Abkürzungsverzeichnis.
[3] *Gerhard Müller:* Um die Einheit des deutschen Luthertums. Die Konkordienformel von 1577, in: Jahrbuch des Martin-Luther-Bundes 24, 1977, S. 16 bis 36.
[4] Es geht ja um die »lutherischen Bekenntnisschriften«, nicht um das Konkordienbuch im gestellten Thema. Zu den »Lutherischen Bekenntnisschriften« gehören noch Apostolikum, Nicäno-Konstantinopolitanum und Athanasianum (gedr. BS S. 21–30).

gelehrt wird. Das spricht für eine Systematisierung der Darstellung, nicht für eine Erhebung der Aussagen aus den verschiedenen Schriften je für sich. Allerdings wird man gut daran tun zu bedenken, wo was gesagt wurde, weil nur dann der intendierte Sinn getroffen werden kann.

Sind die historischen Bedingungen analysiert und der theologische Sachverhalt in Umrissen erfaßt, wird nach den charakteristischen Begriffen, nach den spezifischen Eigenheiten und den besonderen Anliegen zu fragen sein. Es wird sich schnell ergeben, daß der Thema-Begriff »Rechtfertigung« nicht ausreicht, sondern daß auch Glaube, Werke, Sünde, Gesetz oder Gnade untersucht werden müssen. Eine erste Gliederung empfiehlt sich, die möglicherweise im Verlauf der Vorbereitung der Arbeit korrigiert werden muß. Sind die Vorfragen geklärt und die Vorbereitung abgeschlossen, ist die Abfassung vorzunehmen.

2. Darstellung

Als Gliederung kann sich ergeben:
1. Die Sünde; 2. Die Glaubensgerechtigkeit; 3. Gesetz und Evangelium; 4. Glaube und Werk. Die Einleitung, die diesem vorausgehen sollte, würde über Methode und Ziel zu berichten haben, könnte zugleich aber auch von einem aktuellen oder persönlichen Anlaß ausgehen, der die Motivation deutlich macht.

1. In der Lehre von der Sünde legt sich als Ausgangspunkt Art. 2 des Augsburger Bekenntnisses nahe. Hier wäre die Definition zu erheben, wobei man gut tut, nicht nur den 1530 vor dem Reichstag verlesenen deutschen Text zu Rate zu ziehen (den man deswegen als den offiziellen ansehen kann), sondern auch den lateinischen, weil es Zeiten gab, in denen Theologen deutlicher in Latein als in Deutsch zu formulieren verstanden! Es wird nach »in Sünden empfangen und geboren«, nach »metus Dei«, »fiducia erga Deum«, »concupiscentia« oder »angeborne Seuch und Erbsunde« zu fragen sein (BS S. 53). Auch die Ablehnung derer, die die Erbsünde verwerfen, ist aufschlußreich. Die christologische Aussage, »ut extenuent gloriam meriti et beneficiorum Christi«, macht erkennbar, auf welchem Hintergrund die Confessio Augustana verstanden werden will. Hier kann sich eine Analyse der Art. 18 und 19 anschließen (über den freien Willen und die Ursache der Sünde, wobei dann auch Art. 2 der Konkordienformel nicht übersehen werden dürfte),

es ist aber auch denkbar, Apologie Art. 2 heranzuziehen, da diese Verteidigung ja eine Art von Kommentar zum Augsburger Bekenntnis bildet. Hier ist festzustellen, wie Melanchthon zwischen potentia und actus unterscheidet und daß diese Ausführungen kaum recht verstanden werden können, wenn nicht die »Confutatio« beigezogen wird, die gegen die Confessio Augustana geschrieben worden war. Das Sachregister führt zu weiteren Aussagen über Erbsünde und Sünde. Vor allem wird Art. 1 der Konkordienformel zu beachten sein, weil durch innerprotestantische Streitigkeiten gerade der Begriff der Erbsünde einer Klärung bedurfte. Rasch ist festzustellen, daß es sich lohnen würde, diesem Thema eine eigene Arbeit zu widmen. Ist aber die Rechtfertigung zu behandeln, gilt es, sich zu beschränken, da die Lehre von der Sünde nur die Voraussetzung für die eigentliche Rechtfertigungslehre bildet.

2. Hierfür ist Art. 4 der Confessio Augustana der sich nahelegende Ausgangspunkt. Es wird zu analysieren sein, was »gratis iustificentur propter Christum per fidem« heißt und was mit »peccata remitti propter Christum, qui sua morte pro nostris peccatis satisfecit« gemeint ist. Es fällt auf, daß hier Verwerfungen fehlen! Aber schnell belehrt ein Blick in Apologie Art. 4, daß das Thema ausführlicher Erörterungen bedarf und keineswegs unumstritten zwischen altkirchlichen und protestantischen Theologen war. Luthers in unserer obigen Einleitung erwähnten Worte über die Bedeutung der Rechtfertigungslehre und seine Deutung in den Schmalkaldischen Artikeln (BS S. 415f.) verdienen ebenfalls eine eingehende Analyse. Der umfangreiche Art. 3 der Formula concordiae erfordert zu seinem Verständnis Kenntnisse vom Osiandrischen Streit. Man wird (und darf!) Theologien der lutherischen Bekenntnisschriften[5] oder Spezialstudien zu Hilfe nehmen. Es wird zu lesen sein, daß in den Bekenntnisschriften streng zwischen »Gottes Anspruch und Zuspruch« unterschieden oder daß »die Gewißheit des Glaubens und die Ungewißheit auf Grund der Werke ... festgehalten« worden sei[6] – man wird fragen, ob das die Aussagen der Quellen adäquat widergibt. Auch – und gerade! – kritische Deutungen gilt es zu hören und zu prüfen: »Die Gerechtigkeit Christi geht nicht ein in Sein, Haben und Tun des Menschen«; es erfolgt in der Recht-

---

[5] Brunstäd, Schlink oder Fagerberg (wo allerdings die Konkordienformel nicht analysiert wurde); vgl. auch *Hans Emil Weber:* Reformation, Orthodoxie und Rationalismus I, 1 (Beiträge zur Förderung christlicher Theologie, 2. R., 35. Bd.), Gütersloh 1937, S. 65–139 und 257–321.
[6] *Edmund Schlink:* Gesetz und Evangelium als kontroverstheologisches Problem, in: KuD 7, 1961, S. 28 und 30.

fertigung nur eine Zurückdrängung der »Sündigkeit des Willens«, aber keine »positive Heiligung«; »Gnade geht nicht so in den Menschen ein, daß er innerlich verwandelt wäre.«[7] Entspricht dies den Quellen? Wo könnte eine andere Akzentuierung erforderlich sein? Oder beherrscht Melanchthons »Spiritualisierung und Intellektualisierung« der Rechtfertigungslehre[8] die Bekenntnisschriften in einem Maße, daß Osianders Deutung der reformatorischen Lehre gar keinen Einfluß gefunden hat, so daß er nur als ein »protestantischer Irrläufer«[9] anzusehen ist?

Es wird auch zu untersuchen sein, was Rechtfertigung heißt und welche Auswirkungen sie zeitigt. Was bewirkt die Vergebung der Sünden? Warum wird so großer Wert darauf gelegt, daß es sich um ein forensisches Urteil handelt, das also in Gottes Gericht gilt? Man wird zu beachten haben, daß in den lutherischen Bekenntnisschriften sowohl »die Totalität der Aussagen des Sündenbekenntnisses als auch die Totalität der Aussagen des Rechtfertigungsglaubens festgehalten« werden[10], und es wird zu überlegen sein, ob und inwiefern dies beides zugleich behauptet werden kann. Auch die Bedeutung des Glaubens erfordert Aufmerksamkeit. In diesem Zusammenhang ist auch Art. 20 der Confessio Augustana zu beachten, wo es heißt, »daß man allein durch Glauben, ohn Verdienst, Gottes Gnade ergreift« und »daß Glauben sei nicht allein die Historien wissen, sonder Zuversicht haben zu Gott, sein Zusag zu empfahen« (BS S. 79f.). Bei Rudolf Hermann ist dazu zu lesen, daß »erst die persönliche Glaubenshaltung ... den protestantischen Christen« mache und daß »das evangelische Grundwort ... der Glaube bleiben« müsse[11]. Auch hier wird die Kongruenz, ja die Notwendigkeit solch einer Deutung aufgrund der Quellenaussagen zu bedenken sein.

3. Gesetz und Evangelium erweisen sich auch für die lutherischen Bekenntnisschriften als theologischer Maßstab, der bei der Analyse der Rechtfertigungslehre beachtet werden muß. Zwar ist diesem Thema kein eigener Artikel im Augsburger Bekenntnis gewidmet, aber Hinweise auf Gottes Gesetz und Verheißung als Schlüssel zum Verständnis seines Handelns fehlen weder hier noch in der Apologie oder gar in den Schmalkaldischen Artikeln (vgl. BS S. 69–71 oder S. 435f. und 449). Durch die Lehrstreitigkeiten im deutschen Protestantismus nach Luthers Tod werden

7 *Volk*, a.a.O. S. 128.
8 Vgl. *Jürgen Roloff:* Apologie IV als Schriftauslegung, in: LR 11, 1961, S. 73.
9 *Karl Barth:* Kirchliche Dogmatik 4,1, S. 585.
10 *Schlink*, a.a.O. S. 29.
11 Die Rechtfertigung und der evangelische Glaube, in: *ders.:* Gesammelte Studien zur Theologie Luthers und der Reformation, Göttingen 1960, S. 252f.

diesem Thema und der Frage, ob es auch einen dritten Brauch des Gesetzes gebe, in der Konkordienformel eigene Abschnitte gewidmet (vgl. BS S. 790–795 und 951–969). Bei einer Analyse von »Gesetz und Evangelium« im Zusammenhang der Rechtfertigungslehre wird vor allem nach der Auswirkung auf das Verständnis des »articulus stantis et cadentis ecclesiae« gefragt werden müssen. Dabei mag sich ergeben, daß die Bekenntnisschriften ein »analytisches Urteil des Gesetzes« und ein »synthetisches Urteil des Evangeliums« vertreten[12], daß also nur in bezug auf das Evangelium von der iustificatio impii gesprochen werden kann.

4. Da die lutherische Rechtfertigungslehre aus dem Gegensatz gegen die spätmittelalterliche Werkgerechtigkeit erwachsen ist, wird auch der Zusammenhang von Glaube und Werk zu erörtern sein. Im Augsburger Bekenntnis sind dieser Frage zwei Artikel gewidmet (6 und 20): das Werk wird als »Frucht« des Glaubens bezeichnet, so daß von einer »inneren Verbundenheit von Glaube und Werk« gesprochen wurde[13]. Es wird aber auch zu hören sein, daß die Aussagen über regeneratio und sanctificatio in den Bekenntnisschriften zurückträten und daß »die theologische Beschreibung der Liebe« in der Apologie »enttäuschend« sei[14]. Andererseits ist zu vernehmen, daß es hier nur darum gehe, »zwischen dem vertrauend-empfangenden Glauben an das Evangelium und dem vom Glauben geforderten neuen Gehorsam gegenüber Gottes Geboten ... in aller Strenge« zu unterscheiden[15]. In der Tat wird von einer »Notwendigkeit des neuen Gehorsams«[16] gesprochen werden müssen. Es wird aber zu fragen sein, ob er durch den »dritten Brauch des Gesetzes« zustande kommt oder als »Frucht« gewissermaßen »natürlicherweise«. Deutlich ist jedenfalls, daß das Werk in die Rechtfertigung nicht hineingehört.

---

[12] *Schlink*, a.a.O. S. 28.

[13] *Hermann*, a.a.O. S. 270; vgl. auch *ders.*: Zur theologischen Würdigung der Augustana, in: a.a.O. S. 112–118. Zur Diskussion der evangelischen Rechtfertigungslehre durch die katholischen Kontroverstheologen vgl. *Vinzenz Pfnür*: Einig in der Rechtfertigungslehre? Die Rechtfertigungslehre der Confessio Augustana (1530) und die Stellungnahme der katholischen Kontroverstheologie zwischen 1530 und 1535 (Veröffentlichungen des Instituts für Europäische Geschichte Mainz, Bd. 60), Wiesbaden 1970.

[14] *Volk*, a.a.O. S. 115.

[15] *Schlink*, a.a.O. S. 29; vgl. auch *Gerhard Gloege*: Zur Rechtfertigungslehre der Augsburgischen Apologie, in: Monatsschrift für Pastoraltheologie 45, 1956, S. 205–214.

[16] *Peter Brunner*: Die Notwendigkeit des neuen Gehorsams nach dem Augsburgischen Bekenntnis, in: KuD 7, 1961, S. 272–283.

Es ist möglich, daß die christologische Begründung der Rechtfertigungslehre Aufmerksamkeit erfordert oder daß auf die Kirche als den Ort, wo Gesetz und Evangelium verkündigt werden, geachtet werden muß. Keinesfalls erweist sich das gestellte Thema als problemlos!

Als empfehlenswert kann erscheinen, daß zum Schluß nach der Schriftgemäßheit der dargestellten Lehre gefragt wird[17], daß kritische Stimmen gehört werden oder daß man sich vergegenwärtigt, wo die wichtigsten Unterschiede zum – ungefähr gleichzeitig erarbeiteten – Rechtfertigungsdekret des Tridentinums liegen. Aber auch Erwägungen zur offenbar veränderten Ausgangslage in unserer Zeit lassen sich anstellen – in jedem Fall wird in eine Problematik Einblick genommen, die nicht nur im 16. Jahrhundert zentral war, sondern die auch heute zu faszinieren vermag.

17 Wie Roloff dies a.a.O. in bezug auf die Apologie getan hat (S. 56–73).

Abkürzungen

BS	Die Bekenntnisschriften der evangelisch-lutherischen Kirche (7. Aufl. Göttingen 1976)
DG	Dogmengeschichte
KuD	Kerygma und Dogma
LR	Lutherische Rundschau
LuJ	Lutherjahrbuch
NZSTh	Neue Zeitschrift für systematische Theologie und Religionsphilosophie
RGG	Die Religion in Geschichte und Gegenwart, 3. Aufl. Tübingen 1957–1965
ThLZ	Theologische Literaturzeitung
TRE	Theologische Realenzyklopädie, Berlin 1977ff.
UUA	Uppsala universitets årsskrift
WA	D. Martin Luthers Werke. Kritische Gesamtausgabe. Weimar 1883ff.
WAB	D. Martin Luthers Werke. Kritische Gesamtausgabe. Die Deutsche Bibel, Weimar 1906ff.
ZKG	Zeitschrift für Kirchengeschichte
ZRGG	Zeitschrift für Religions- und Geistesgeschichte
ZThK	Zeitschrift für Theologie und Kirche

Abgekürzt zitierte Literatur und allgemeine Literaturhinweise

Alfred Adam: Lehrbuch der Dogmengeschichte, Gütersloh 1. Bd. 2. Aufl., 1970, 2. Bd. 1968.

Ferdinand Christian Baur: Die christliche Lehre von der Versöhnung in ihrer geschichtlichen Entwicklung von der ältesten Zeit bis auf die neueste, Tübingen 1838.

Jörg Baur: Salus christiana, Die Rechtfertigungslehre in der Geschichte des christlichen Heilsverständnisses, Bd. 1, Gütersloh 1968.

Julius Gross: Geschichte des Erbsündendogmas. Ein Beitrag zur Geschichte des Problems vom Ursprung des Übels, 4 Bde, München/Basel 1960–1972.

Adolf von Harnack: Lehrbuch der DG, 3 Bde, 4. Aufl., Nachdruck Darmstadt 1964.

Emanuel Hirsch: Geschichte der neuern evangelischen Theologie, 5 Bde, 4. Aufl., Gütersloh 1968.

Karl Holl: Die iustitia dei in der vorlutherischen Bibelauslegung des Abendlandes, in: *ders.:* Gesammelte Aufsätze zur Kirchengeschichte Bd. 3, Nachdruck Darmstadt 1965, S. 171–188.

Bernhard Lohse: Epochen der Dogmengeschichte, 2. Aufl., Stuttgart 1969.

Friedrich Loofs: Leitfaden zum Studium der Dogmengeschichte, 7. Aufl., hg. von Kurt Aland, Tübingen 1968.

Albrecht Ritschl: Die christliche Lehre von der Rechtfertigung und Versöhnung, 3 Bde, 3. Aufl., Bonn 1888/89.

Reinhold Seeberg: Lehrbuch der DG, 4 Bde, 5. Aufl., Nachdruck Darmstadt 1959.

Vittorio Subilia: La giustificazione per fede (Biblioteca di cultura religiosa, Bd. 27), Brescia 1976.

Bonifac A. Willems, unter Mitarbeit von *Reinhold Weier:* Soteriologie. Von der Reformation bis zur Gegenwart (Handbuch der Dogmengeschichte, Bd. III. Fasz. 2c), Freiburg etc. 1972.

Sachregister